Matériaux

+

Art

=

Œuvre

Prod No.:	87804
Date:	24/4/14
Title:	Raw + Materials = Art (Pyramyd, French)
Supplier:	C&C Offset Printing Company Ltd.

t.p.s:	340 x 240mm upright
extent:	256 pages printed 4/4 throughout
paper:	157gsm Chinese GE matt art
cover:	5/4 (process colours plus Pantone 123U orange / process colours) on 350gsm Chinese woodfree board, uncoated both sides, with matt machine varnish and blind graining (Fudiao finish) on the outside / matt machine varnish plus gloss spot UV varnish on the inside. Covers to be foil blocked on frontboard. Covers to have a round die-cut hole 5cm in diameter on frontboard.
binding:	Bookblocks trimmed on fore-edge, covers creased six times and drawn on at spine and slightly at sides to give 6mm glued hinge front and back; books have flaps 187mm wide. Books cut flush at top and bottom.

Tristan Manco

Matériaux

+

Art

=

Œuvre

Quand les artistes contemporains font
appel à des matériaux naturels
ou recyclés

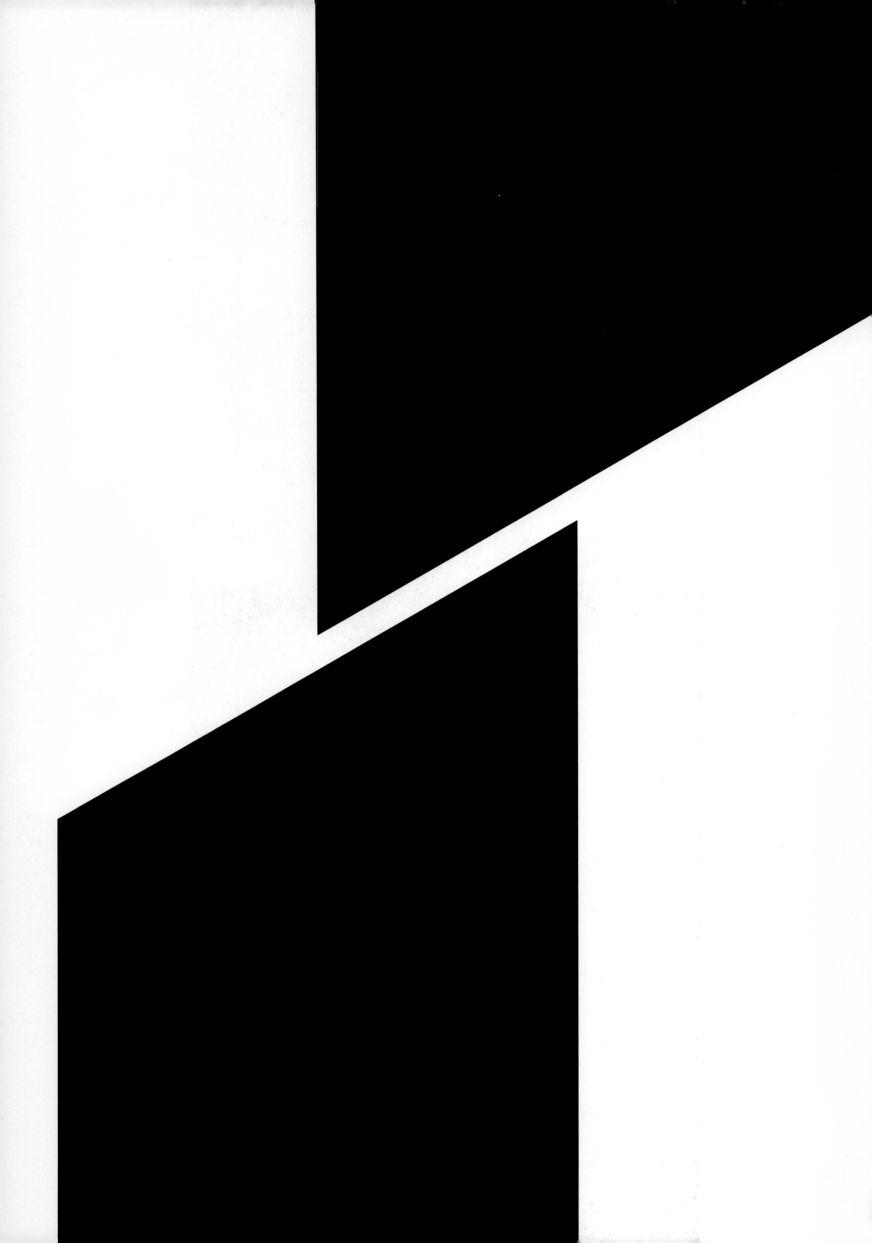

Sommaire

Introduction :
L'art des matériaux

Une nouvelle vague d'artistes internationaux commence à faire parler d'elle pour son usage de matériaux modestes ou non conventionnels, et ses techniques originales au service d'œuvres tactiles, esthétiquement provocantes, fascinantes et ingénieuses. Nombre de ces artistes donnent une finalité nouvelle à ce que l'on considère comme des « matériaux utilitaires » ou « bons pour la ferraille » en piochant parmi des détritus domestiques sans prestige, des restes alimentaires, des vieux jouets, des livres, des skateboards, des pétards et luminaires, parfois même des déchets organiques comme de la peau ou des ongles. D'autres adoptent une approche créative de supports traditionnels ou établis tels que le papier, la pierre, le béton et l'acier. Mises à l'honneur dans cet ouvrage, ces créations magnifiques, intelligentes et stimulantes occupent un vaste champ, du collage en papier familier à d'imposantes sculptures en bois de récupération qui prennent place dans l'espace public.

Si leurs créations sont variées, les artistes présentés dans ce livre sont le plus souvent des défenseurs du fait main, amateurs de méthodes artisanales ou de technologies rudimentaires – collage, montage, sculpture, peinture et tissage – auxquelles ils s'adonnent avec une inventivité foisonnante. Certains ont réinventé des techniques traditionnelles, comme le sculpteur néerlandais Ron Van der Ende, qui a repris la forme ancienne du bas-relief et l'a actualisée à la mode du XXIᵉ siècle avec du bois récupéré pour un résultat plus vrai

que nature. D'autres ont inventé des procédés radicalement nouveaux. Aux États-Unis, Rosemarie Fiore allume des fusées de feux d'artifice pour donner naissance à des peintures colorées et incroyablement dynamiques, tandis que le Chilien Carlos Zúñiga a adopté une approche unique avec ses œuvres sur papier : il révèle des portraits et paysages fantomatiques en rayant des noms sur des pages d'annuaires téléphoniques.

Non moins innovants sont les divers choix de ces artistes en matière d'exposition. Certaines œuvres sont présentées de façon conventionnelle dans le cadre classique d'une galerie, mais les artistes brisent parfois les règles du fameux « White Cube ». Dans des cas extrêmes, ils bouleversent la structure de l'espace d'exposition pour immerger le spectateur au cœur de leur création. L'installation labyrinthique *Tunel*, du Brésilien Henrique Oliveira, à l'Instituto Itaú Cultural de São Paulo en 2007, en est l'un des exemples les plus représentatifs. D'autres exposent leurs travaux dans des lieux alternatifs, dans l'espoir d'attirer un nouveau public peu habitué à l'univers des galeries. Une plage déserte, un faux marché de fruits et légumes ou un champ de tournesols… voilà des cadres atypiques où des créations et des performances ont ainsi pu voir le jour.

Qu'il s'agisse des plumes découpées dans du papier, merveilleusement complexes, de l'Américaine Mia Pearlman, ou des structures organiques et coulantes en bois de récupération gauchi et moulé d'Oliveira, chacune de ces

01 Michael Johansson, *Self Contained* (« D'un seul bloc »), conteneurs, caravane, tracteur, Volvo, palettes et réfrigérateurs, 2010.

« C'est la situation dans laquelle ils sont placés qui donne aux objets leur valeur ; en d'autres termes, ce qui définit la valeur d'un objet n'est pas le matériau qui le compose ni la fonction qu'il sert, mais sa position dans un contexte donné. »

Michael Johansson

œuvres témoigne du rapport de ces plasticiens aux matériaux et de leur capacité à les transformer. Ces derniers les attirent pour diverses raisons, esthétiques, émotionnelles ou intellectuelles. Si leurs buts et préoccupations sont parfois diamétralement opposés, tous partagent un respect commun et une même envie de porter plus loin leurs moyens d'expression. À travers l'exploration des qualités tactiles et des significations multiples associées à des matériaux prosaïques, ils apprennent d'eux et réagissent à notre monde matériel : leurs efforts donnent lieu à un art inventif, souvent sensible à l'écologie.

Les déchets, ou l'art de réinventer

À notre époque, nous partons du principe que tout objet ou matière peut être « artistique », et l'art, pourquoi pas, prendre une forme immatérielle : une performance, la projection d'un film, une œuvre numérique. Cela n'a rien de surprenant en soi qu'un artiste nous présente une œuvre composée d'éléments insolites. Pourtant, même si nous l'anticipons, ce spectacle n'en est pas moins désarçonnant. Le célèbre *Puppy* (1992) de Jeff Koons, un chiot végétal de 13 mètres de haut qui trône actuellement à l'extérieur du musée Guggenheim de Bilbao, illustre parfaitement ce phénomène. Les artistes présentés dans cet ouvrage manipulent des matériaux non conventionnels mais reconnaissables pour

nous choquer, nous amuser ou nous inciter à la réflexion ; à travers eux, ils nous offrent de nouveaux regards sur le monde.

Cela ne fait cependant pas longtemps que les matériaux alternatifs sont communément admis dans l'art. Cette réception s'explique par l'émergence du modernisme et des nombreux mouvements avant-gardistes qui connurent leur essor à la fin du XIXe et au début du XXe siècle, ainsi que par plusieurs exposants majeurs qui, en réaction au nouvel âge industriel, remirent en question la finalité et la dimension matérielle de l'art. Marcel Duchamp eut une influence capitale ; il s'interrogea sur la notion même d'art et sur l'adoration qu'il suscite. Il prit un objet de la vie courante – qu'il nomma « ready-made » – auquel il était indifférent, et le présenta comme une œuvre d'art. Son ready-made le plus célèbre, *Fontaine* (1917), est un urinoir qu'il signa du pseudonyme « R. Mutt ». À l'époque, son initiative fut une vraie révolution. La philosophie à l'œuvre derrière *Fontaine* continue d'inspirer des générations d'artistes : à leur tour, ils tâchent de regarder le monde différemment et de détourner des objets et matériaux de façon à bousculer notre perception de la nature de l'art.

L'œuvre de Duchamp posa les fondements de l'art conceptuel ; *Fontaine* est si emblématique qu'il est devenu un symbole de l'art contemporain. L'artiste français Baptiste Debombourg, attiré par des matériaux insolites, y fait clairement référence dans *Polybric* (2002). Il reproduit l'urinoir de Duchamp

02 Henrique Oliveira, création en cours, 2008.
03 Gabriel Dawe, *Plexus no. 2 (relics): convergence* (« Plexus n° 2 (vestiges) : convergence »), fil provenant d'une installation à la Conduit Gallery (avril-juin 2010), Dallas, États-Unis, et plexiglas, 2011. **04** Robert Bradford, matériaux, 2010.
05 Monica Canilao. **06** *(Au verso)* Maria Nepomuceno, *Sans titre*, cordes cousues, bois, paille et perles, 2008.

« Beaucoup des matériaux que j'utilise me servent de repères tactiles de mémoire… Parce qu'ils sont les fruits de mes expériences, je peux les assembler d'une façon plus personnelle. »

Monica Canilao

avec des centaines de cubes de construction pour enfants en plastique. Si l'intention de Duchamp était de mettre en avant l'interprétation intellectuelle de l'art et non sa fabrication, l'urinoir bariolé de Debombourg, installé quelques jours dans de véritables toilettes publiques, n'a manifestement aucune intention de dissimuler son mode de fabrication. Cette réinterprétation ironique du thème n'en est pas moins anticonformiste dans sa représentation visuelle absurde d'un objet trivial.

Le cubisme synthétique, un mouvement abstrait décoratif développé dans les années 1910 essentiellement sous l'égide de Pablo Picasso, Georges Braque et Juan Gris, marqua un tournant dans l'usage des matériaux dans l'art. Avant le modernisme, ces derniers, comme la toile ou la pierre, avaient pour fonction première d'être les supports d'une peinture ou d'une sculpture plutôt que d'attirer l'attention sur leur propre texture. Les cubistes de la période synthétique introduisirent la technique du collage, qui consistait à coller des matériaux (papier, tissu) sur la toile, pour aborder les arts plastiques sous l'angle nouveau de la matière. L'ajout de papier journal et autres à leurs tableaux leur permit de brouiller les frontières entre peinture et sculpture et de franchir ainsi le gouffre entre l'art et les objets de la vie courante. Cette mise en lumière d'un lien direct entre l'art et la vie, entre arts plastiques et matériaux du quotidien, trouve une nouvelle résonance dans la pratique de nombreux artistes contemporains.

Les modernistes proposèrent de nouvelles formes artistiques, qu'ils jugeaient plus en phase avec leur temps. Les artistes de ce livre reprennent cette idée en réagissant à des réalités mondiales dans un contexte qui évolue rapidement, à travers des thèmes et l'utilisation de ressources qui reflètent notre époque. Bien qu'ils ne soient pas bridés par une intention commune, la plupart se servent de déchets, de matériaux récupérés ou recyclés. Ce choix résulte en partie de notre temps, de notre conscience chaque jour un peu plus aiguë des limites des ressources terrestres et de notre regard critique sur la société de l'hyperconsommation. Beaucoup font ce choix dans le but d'attirer l'attention sur notre culture du gaspillage, par des biais souvent ingénieux. L'artiste japonais Yuken Teruya, dans *Notice-Forest*, a notamment créé des dioramas de forêts miniatures en filigrane avec des sacs de fast-food jetables, qui rappellent de façon subtile au spectateur les ressources naturelles qui alimentent le rêve consumériste. S'ils ne sont pas toujours uniquement motivés par des questions écologiques, les artistes partagent une même envie de puiser dans des ressources qui, sans leur intervention, seraient gaspillées. Ce choix peut aussi être lié à des raisons financières.

Les artistes sont parfois inspirés par des déchets découverts par hasard. Dans d'autres cas, leurs recherches de matériaux les mènent vers des environnements inconnus, porteurs d'idées nouvelles. L'Américain Chris Silva s'est par exemple servi d'épaves flottantes rejetées

07 Maria Nepomuceno, *Sans titre*, cordes cousues et céramique, 2008. 08 Gabriel Dawe, *Plexus no. 3* (« Plexus n° 3 »), fil Gütermann, bois et clous, GuerillaArts, Dallas, États-Unis, 2010. 09 Luiz Hermano, *Horto*, résine et fil de fer, 2010. 10 Monica Canilao, *Gilded Rook* (« Tour dorée »), 2010.

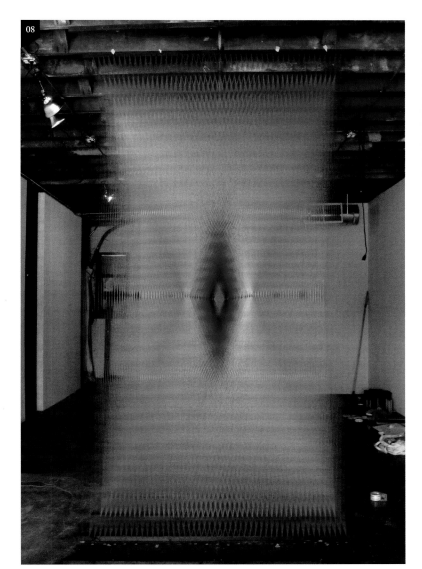

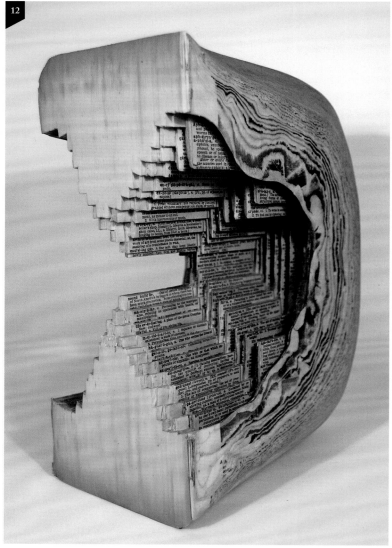

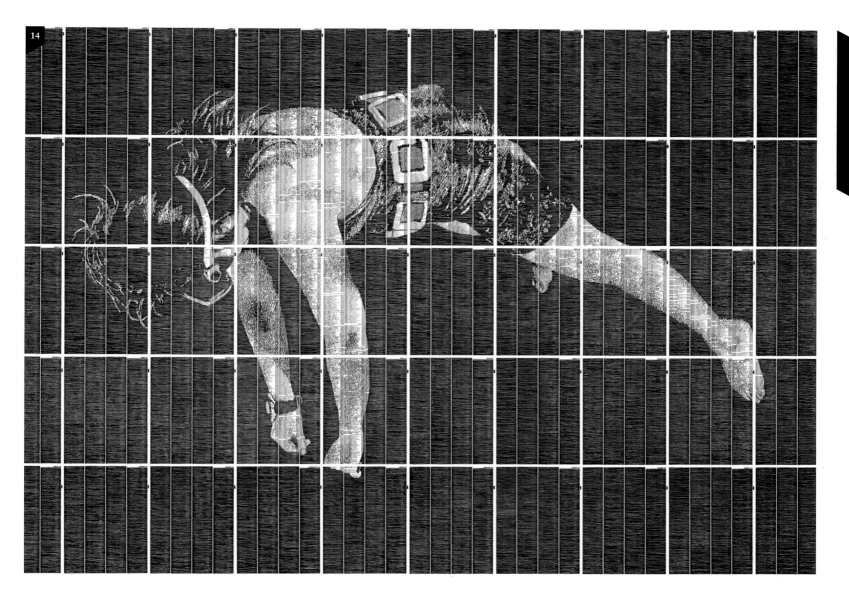

11 Peter Callesen, *Impenetrable Castle II* (« Château impénétrable II »), papier de 80 g/m² sans acide au format A4 et colle, 2005. 12 Brian Dettmer, *Mound 2* (« Monticule 2 »), livre altéré, 2008. 13 Brian Dettmer, *Raphael*, livre altéré, 2008. 14 Carlos Zúñiga, *Dia 2* (« Jour 2 »), encre sur annuaire téléphonique, série *Detained in Apnea* (« Maintenu en apnée »), 2007. 15 *(Au verso)* Luzinterruptus, *A Cloud of Bags Visits the Prado* (« Un nuage de sacs visite le Prado »), quatre-vingts sacs de courses en plastique, LED et supports, 2009.

sur le rivage de Porto Rico pour son œuvre « sanctuaire » installée dans un espace isolé de la plage. Dans l'esprit de Robinson Crusoé, l'idée était que son œuvre, en bois flotté et autres éléments de récupération, soit gardée secrète, protégée du monde extérieur. Le collectif péruvien Fumakaka se fixe le but de créer à partir de tout ce qu'il peut trouver sur un site donné, comme il l'a fait en transformant une cour jonchée d'ordures en installation théâtrale. L'Américaine Valerie Hegarty, plutôt que de s'inspirer des processus de dégradation et de destruction, les provoque elle-même. Pour ce faire, elle brûle, brise et expose volontairement aux éléments des peintures, meubles et autres objets afin de les transformer en débris, processus qu'elle nomme l'« archéologie à rebours » : notre présent y représente le passé, et les créations le futur.

Si les objets délaissés et abandonnés existent en abondance, cette ressource est pourtant négligée. Ce sont l'histoire qu'ils véhiculent et l'opportunité de leur donner une seconde vie qui attirent les artistes. L'Américaine Monica Canilao tisse et superpose des tissus classiques et des photographies trouvées dans des compositions disparates qui évoquent des capsules témoins sensorielles, sortes de mémoriaux à des proches depuis longtemps défunts. L'artiste britannique Robert Bradford enrichit ses sculptures de vieux jouets en plastique, et donne un sens à chacun d'eux en mettant en avant sa vie antérieure. Avant d'être retrouvés, ces objets

ont été créés ou manufacturés ; ils ont ensuite subi un long processus au cours duquel ils ont été utilisés, usés puis jetés : ils ont déjà une histoire à raconter. Les artistes réinventent et redéfinissent la fonction de ces objets, afin d'en faire les personnages d'un nouveau récit.

La réutilisation de déchets par les artistes nous confronte souvent à des objets qui évoquent le passé. De nombreux biens de consommation ayant une obsolescence programmée, même les gadgets de l'année passée suscitent parfois une certaine nostalgie. L'artiste suédois Michael Johansson récupère dans des marchés aux puces beaucoup de ses matériaux sources, qu'il rassemble ensuite dans des compositions dans l'esprit du jeu Tetris. C'est principalement l'histoire de ces objets qui l'intéresse. « Ces vieux objets, dit-il, sont très révélateurs de notre mode de vie actuel. Il est beaucoup plus facile de repérer un phénomène une fois qu'on en est sorti. Même lorsque j'utilise des articles qui existaient il y a dix ans, ce délai est suffisant pour les aborder sous un nouvel angle. »

Lorsque les artistes réemploient de cette façon des objets qui détiennent déjà une signification et une fonction, une tension surgit souvent entre leur usage premier et leur nouvelle existence. Quelle part du sens d'origine est préservée et quelle part est perdue, c'est à l'artiste d'en décider. Les vieux livres sont la matière première de Brian Dettmer. Il ne crée pas seulement de magnifiques sculptures à partir d'eux, mais il délivre

également un message sur la fonction des livres, les connaissances qu'ils contiennent et leurs propriétés physiques. Il justifie ainsi sa démarche : « C'est un équilibre dont j'essaie d'être conscient, de façon à manipuler la forme pour la transformer en création nouvelle. Cette manipulation touche la matière – de l'état de livre, l'objet passe à celui de sculpture –, mais elle remet également en question les notions de paternité de l'œuvre et d'appropriation. À quel stade puis-je m'approprier cette œuvre ? À quel moment ce glissement se fait-il ? J'aime qu'un équilibre demeure, que mon travail garde une certaine honnêteté, de telle sorte que l'auteur ou l'artiste original soit reconnu. Préserver l'identité du matériau en tant que livre m'aide à y parvenir. »

Fidèles à la nature

De tout temps, les artistes ont eu un respect inné pour leurs matériaux. Qu'il s'agisse de métaux précieux ou de marbre, on leur confiait la transformation de ressources rares en œuvres d'art. Au cours des siècles passés, même les produits élémentaires comme la toile, la peinture et le papier étaient extrêmement onéreux, c'est pourquoi il était fréquent de voir des artistes peindre sur de vieilles toiles ou réutiliser le moindre bout de papier. Si aujourd'hui certains matériaux existent en abondance et coûtent moins cher, notre préoccupation actuelle est leur provenance. Ont-ils été obtenus via des pratiques nocives,

sont-ils produits durablement ? Est-ce peu rentable ou légitime d'utiliser de grandes quantités de ressources naturelles, d'énergie ou de processus chimiques au nom de l'art ? Dans cette période de prise de conscience, certains impératifs écologiques et raisons économiques incitent à traiter avec attention les ressources mobilisées dans la création artistique.

Tout aussi importantes aux yeux de ces artistes attachés aux matériaux naturels sont les réflexions esthétiques, qui vont souvent de pair avec les questions éthiques. Dans l'art et l'architecture modernes, la conviction que l'art devrait être « fidèle aux matériaux » est très répandue : une œuvre devrait être inextricablement liée à la matière qui la constitue plutôt que lui imposer une image ou la transformer au point de la dénaturer totalement. Cette expression est notamment associée au sculpteur britannique Henry Moore, qui écrivait en 1934 : « Chaque matériau a ses qualités intrinsèques… La pierre, par exemple, est dure et massive, et elle ne doit pas être falsifiée pour lui faire imiter la chair molle… Elle doit conserver son caractère rigide et tendu. » Cette idée devint le point central du débat à l'époque et continue d'influencer la pensée artistique contemporaine.

Qu'ils choisissent de rester fidèles ou non à leurs matériaux, les artistes contemporains exploitent sciemment leurs propriétés naturelles : leur surface, texture ou couleur. Dans cet esprit, nombre des artistes présentés dans ce livre sont attirés par des matières premières, non traitées et durables, pour louer

16 Elfo, *!!!!!!!!!*, 2010. 17 Elfo, *Clones*, 2010. 18 Florentijn Hofman, *The Giant of Vlaardingen* (« Le Géant de Vlaardingen »), bois de récupération, clous et vis, 2002-2003. 19 Zadok Ben-David, *Sunny Moon* (« Lune ensoleillée »), acier Corten, 2008. 20 Elfo, *I'm Going to Fuck Vincent* (« Je vais baiser Vincent »), 2010. 21 Faile, *Prayer Wheel* (« Roue de prières »), peinture acrylique sur bois de merbau sculpté à la main monté sur support en acier, 2008.

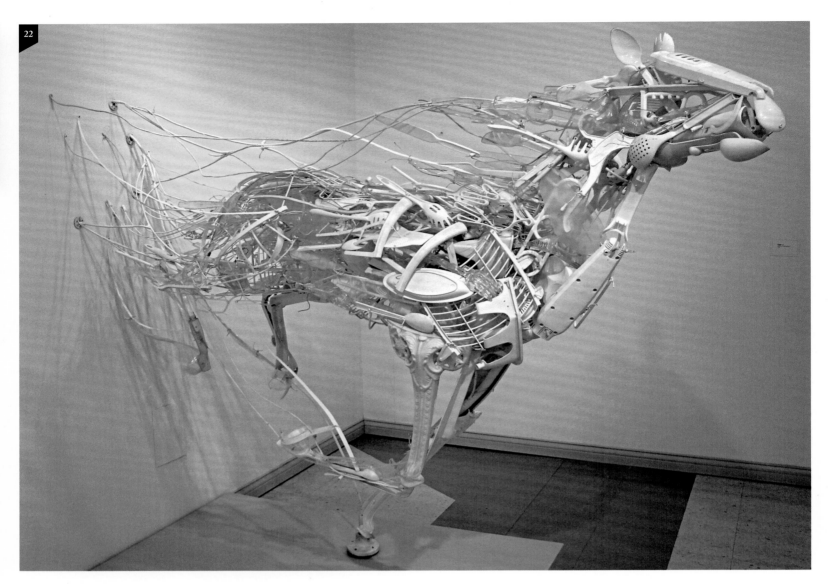

« La différence entre mouler ses propres formes et recourir à des formes préexistantes, c'est que, dans le premier cas, l'artiste agit, décide de ce que font les matériaux, tandis que dans le second, il réagit aux objets, à leur apparence et à leurs limites physiques. »

Sayaka Kajita Ganz

leur utilité sur le plan écologique et leurs qualités esthétiques, ainsi que pour rapprocher l'homme de la nature. Ils appliquent diverses stratégies pour souligner les atouts du bois, du métal ou de la pierre. L'artiste sud-coréen Jae-Hyo Lee adopte une approche minimaliste : il choisit des formes simples et des processus rapides pour accentuer les finitions et motifs naturels de différents matériaux. Ses sculptures géométriques et curvilignes révèlent la beauté et la patine de ressources naturelles comme le bois et la pierre. Ses sculptures en bois, dans un style ultra-moderne tout en courbes élégantes, sont très évocatrices ; en préservant les anneaux de croissance de l'arbre, elles rappellent au spectateur le lien qui l'unit au cycle de la vie.

L'intérêt de Lee pour les textures est partagé par tous les artistes de cet ouvrage, mais chacun le manifeste à sa manière. Qu'elle soit artificielle ou naturelle, due à l'érosion par les intempéries ou à d'autres processus, la surface des objets peut être une dimension puissante d'une œuvre et stimuler des sensations, souvenirs et associations via d'autres sens que la vue. Le minutieux travail manuel du Tokyoïte Haroshi, qui crée des mosaïques en bois multicolores à partir de vieux skateboards, illustre cet attachement aux qualités intrinsèques des objets. Sa technique révèle des couleurs et textures produites par l'usure, enregistrement tangible des efforts acharnés des skateurs. Son confrère Hiroyuki Hamada, Japonais qui vit aux États-Unis, adopte une tout autre démarche : il transforme des

matériaux élémentaires (plâtre par exemple) en sablant, forant et entaillant ses constructions pour faire ressortir leur texture, sur laquelle il applique ensuite des résines, de la cire et des pigments afin d'obtenir de la profondeur et des teintes ocrées. La prédominance de la texture insuffle à la création une personnalité, un esprit qui lui donne vie.

Certains artistes travaillent en extérieur, sur des créations spécifiques à un site donné, dans la tradition du street art et du land art. Ils prennent généralement le lieu en compte lorsqu'ils pensent et créent leur œuvre. L'artiste néerlandais Florentijn Hofman accorde manifestement une attention particulière au site de création lorsqu'il produit des sculptures et des interventions éphémères. Avant de construire *The Giant of Vlaardingen* (« Le Géant de Vlaardingen ») (2002-2003), un gigantesque lapin en bois de récupération, il a pris le temps de consulter la population locale et d'évaluer ses opinions sur l'art, ainsi que de se renseigner sur les lieux. À notre époque, qui fait la part belle aux politiques populistes et aux réseaux sociaux, il considère que l'art, dans une certaine mesure, est interactif et en phase avec l'opinion, puisque c'est le public qui, en dernier lieu, expérimente et vit avec ces œuvres sur le terrain.

Davantage dans l'esprit du land art, l'Allemand Klaus Dauven fait du paysage un matériau artistique. Il retire soigneusement le lichen ou les couches de crasse sur les murs pour engendrer des images et formes naturelles : fleurs, motifs ou animaux.

22 Sayaka Kajita Ganz, *Emergence (Wind)* (« Émergence (Vent) »), objets trouvés (principalement en plastique blanc et transparent), 2008. **23** Sayaka Kajita Ganz, *Deep Sea* (« Haute Mer »), objets trouvés (principalement en plastique bleu et vert), 2007. **24** *(Au verso)* Faile, *Block Paintings* (« Peintures sur blocs ») (détail), peinture sur bois, 2010.

« Je transforme le moins possible le matériau parce que je ne veux pas perdre sa signification originelle. Il ne s'agit pas seulement de modifier la fonction d'un objet. Il s'agit de sublimer ce qu'il nous dit. »

Felipe Barbosa

Ces créations, faites de textures issues de la nature, sont éphémères, car l'érosion par les intempéries et le temps qui passe finissent par rendre aux murs leur aspect naturel. Tout aussi éphémère est le street art, qui englobe un vaste champ d'expressions artistiques au cœur du paysage urbain. Dans ce domaine, l'art de l'Italien Elfo est visible aussi bien dans des environnements urbains que ruraux. Avec un minimum de matériaux recyclés et une juxtaposition fréquente d'éléments naturels et artificiels, ses interventions d'une grande simplicité commentent avec ironie l'état de notre monde. Adepte du gag visuel, il profite pleinement des opportunités de créer des œuvres contextuelles comiques qui donnent à réfléchir, suggérées par le paysage. Par exemple, il a placé au cœur d'une forêt idyllique un panneau en forme de bulle contre un arbre, qui disait : « Sous peu, je serai un sofa IKEA. »

Retour aux fondamentaux

Traditionnellement, les artistes et artisans se devaient de posséder des connaissances pratiques étendues pour produire des œuvres avec différentes techniques ou à diverses échelles. Ils devaient être des dessinateurs hors pair et maîtriser, entre autres, les rudiments de la menuiserie, du moulage du plâtre et du travail des métaux. Au XXIe siècle, des savoir-faire manuels sont passés à la trappe dans l'enseignement et la pratique de l'art. Néanmoins, une génération d'artistes

contemporains apprend certaines disciplines manuelles pour produire des œuvres de qualité qui se distinguent aisément. Tandis que certains, à l'instar des Brésiliens Maria Nepomuceno et Luiz Hermano, s'inspirent d'arts manuels traditionnels comme le tissage et la broderie perlée, d'autres s'en remettent à des solutions pratiques de leur invention, notamment Ron Van der Ende et ses bas-reliefs en bois de récupération.

À notre époque, le retour en force d'artisanats traditionnels s'explique en partie par un appétit renouvelé pour les ressources naturelles. Connaître les rudiments de la menuiserie, du tissage ou de la couture est indispensable pour façonner le bois, la paille ou les fibres naturelles. Nature et artisanat ont un lien direct, physique et historique, qui évolue selon la pratique actuelle de l'art et du design. Parmi les nombreux attraits de l'objet fait main résident les processus uniques dont use l'artiste pour que ses créations traduisent son intégrité créative et son individualité. Ce travail physique réel et ces savoirs spécialisés demandent à l'artiste de réfléchir, de consacrer du temps et des efforts à la production d'une œuvre détentrice d'une vraie qualité tactile et d'une portée émotionnelle.

Dans un monde de plus en plus mécanisé, les savoir-faire manuels demeurent vivants grâce aux artistes qui prennent la peine de les employer et de les adapter. À cet égard, Maria Nepomuceno crée une œuvre hybride, entre artisanat traditionnel et art contemporain. Sa fascination pour

25 Baptiste Debombourg, *Arc de Triomphe*, boîtes en carton, colle, ficelle et ruban adhésif, 2001. 26 Baptiste Debombourg, *Polybric*, jouets FRYD (490 pièces), 2002. 27 Felipe Barbosa, *Condominio Volpi*, peinture acrylique sur bois, Centro Municipal de Arte Hélio Oiticica, Rio de Janeiro, Brésil, 2010. 28 Michael Johansson, *Packa Pappas Kappsäck* (« Fais les valises de papa »), valises, 2006.

29

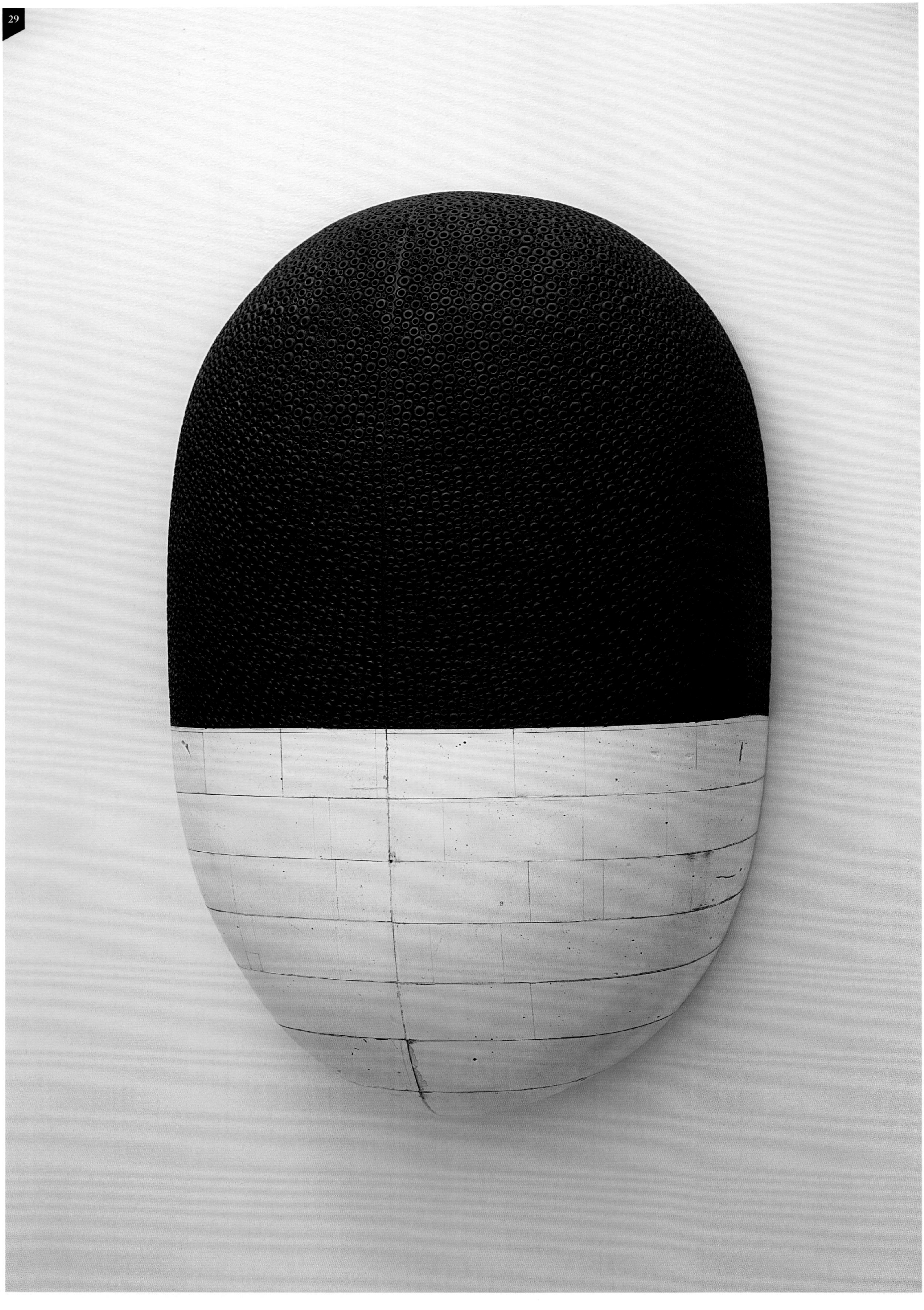

« Je m'efforce de raconter des histoires visuelles en rassemblant divers éléments formels, à la manière des compositeurs qui associent des sons, un rythme, un timbre et ainsi de suite, pour donner naissance à de profondes expériences. »

Hiroyuki Hamada

les matériaux naturels l'a poussée à revenir à des techniques indigènes de tressage de la paille. En collaborant avec des artisans spécialistes de ces techniques et en intégrant ces dernières à ses compositions, elle incite à repenser et imaginer de nouvelles applications à ces travaux manuels qui, sans elle, sombreraient dans l'oubli. Dans le même esprit, l'œuvre influente de Luiz Hermano reprend des techniques artisanales traditionnelles comme la vannerie. Contrairement à celles de Maria Nepomuceno, ses matières premières sont des produits artificiels, issus de la technologie : jouets en plastique, condensateurs électriques... L'introduction de matériaux peu conventionnels dans un contexte artisanal lui permet d'explorer le potentiel de pratiques manuelles dans notre monde moderne, tout en s'interrogeant sur notre tendance au gaspillage et notre détachement vis-à-vis des objets produits en série qui pullulent autour de nous.

Dans les pays développés et en voie de développement, nous perdons de plus en plus contact avec les matériaux et les objets de la vie courante, souvent fabriqués dans d'autres pays. Les procédés high-tech ont rendu de nombreux artisanats traditionnels pratiquement obsolètes. Les pratiques manuelles et technologies archaïques n'en sont que plus séduisantes aux yeux des artistes frileux à l'égard de la fabrication et de la technologie numérique. En réaction à l'omniprésence de ces techniques modernes, ils retournent aux fondamentaux et remettent en vogue certaines techniques anciennes comme l'imprimerie, la menuiserie, le tissage ou la couture. Non seulement cette orientation témoigne d'un retour en force du fait main, mais elle donne un aspect authentiquement humain à leurs travaux : leurs imperfections les rendent plus organiques, tactiles et naturels.

Ce livre illustre la tendance forte de la pratique de l'art et du design contemporain vers une reconnaissance et une utilisation plus importante des matériaux naturels et recyclés, ainsi que vers des procédés artistiques à faible coût, éloignés des hautes technologies. Les aspirations ont évolué, et nous sommes plus critiques à l'égard de l'hyperconsommation. La fonctionnalité est devenue plus prisée que l'innovation ou la futilité. À travers les matériaux choisis, les artistes nous disent la valeur qu'ils accordent à ces ressources naturelles limitées, en fonction de leurs caractéristiques physiques et de leur dimension esthétique. Si ces éléments de la nature les ont toujours inspirés, leur résonance est plus profonde aujourd'hui. Alors qu'à notre époque nous consommons des produits sans être aucunement impliqués dans leur fabrication et que notre rapport au monde se fait de plus en plus par l'intermédiaire d'une réalité virtuelle, cet art tangible, tactile et magnifiquement exécuté célèbre le monde de la nature ; il nous reconnecte à lui. Par leur détournement imaginatif des matériaux, des disciplines et des techniques, ces artistes créent des œuvres qui, grâce à leur ingéniosité, leur originalité et leur relation fusionnelle avec la nature, définissent le matériau artistique du XXIe siècle.

29 Hiroyuki Hamada, *#55*, émail, huile, plâtre, goudron et cire, 2005-2008.

30 AJ Fosik, *As Good as Any God* (« Aussi bon que n'importe quel dieu »), bois, peinture et clous, 2009. **31** Haroshi, *Apple*, skateboards recyclés, 2010. **32** Ron Van der Ende, *s.t. (Wood Stack)* (« s.t. (Tas de bois) »), bas-relief en bois d'œuvre récupéré, 2011.

33 Jae-Hyo Lee, *0121-1110=1090312*, bois, 2009.
34 Henrique Oliveira, *Tapumes*, bois, Rice Gallery, Houston,
États-Unis, 2009.

Felipe Barbosa

À Rio de Janeiro, l'artiste Felipe Barbosa crée des compositions sculpturales et des situations inattendues en altérant les caractéristiques physiques d'objets familiers. Il détourne ainsi l'attention de leur finalité et de leur usage originels, pour inciter le spectateur à les réinterpréter et se forger de nouvelles associations en lien avec leur matérialité.

Ces objets recyclés sont souvent des produits en série du quotidien, colorés et qui passent habituellement inaperçus. Barbosa les réarrange pour mettre en avant leur design et leur impact culturel. Cette intention est illustrée par une série d'œuvres emblématiques avec des ballons de football démontés, qu'il coud ensemble à la main pour créer de merveilleux objets et pièces murales. En disséquant les parties constitutives d'un ballon puis en les reconfigurant selon un dessein purement esthétique, il dévoile la portée mythique de cet objet, symbole d'identité nationale. Le Brésil est en effet connu pour son profond attachement au football ; la destruction de vieux ballons pour en faire un grand patchwork aurait pu passer pour un sacrilège. Pourtant, à sa façon, l'œuvre rend hommage à cette obsession nationale en faisant des ballons de foot des champs où peuvent s'exprimer couleurs et motifs cellulaires.

L'intérêt de Barbosa pour le ballon rond est né de sa fascination pour la géométrie. Il avait déjà manipulé des formes géométriques plusieurs années durant avant d'entamer sa série en 2003. Intéressé par la projection de designs en deux dimensions dans un espace tridimensionnel, il avait transformé des carreaux de céramique hexagonaux en créations géométriques compactes. Pour la série des ballons de foot, il a adopté la démarche opposée : « Selon moi, déclare-t-il, la transformation d'un espace tridimensionnel en une surface plane est liée à l'histoire de la peinture, et sa volonté de faire entrer le monde réel dans un espace en deux dimensions. Ma pratique, consistant à utiliser des ballons en vente à l'époque, m'a permis de créer des œuvres sensiblement différentes. Toute "peinture" est, dans une certaine mesure, limitée par les divers coloris disponibles au moment de sa création. Un peintre rêverait de trouver toutes ces nouvelles couleurs et textures en magasin lorsqu'il doit se réapprovisionner en peinture. »

Dans d'autres créations, Barbosa utilise une grande variété d'objets (capsules de bouteille, pétards), eux aussi facilement reconnaissables. Il privilégie des objets à la portée de tous,

01 Créations en cours, piles et résine. **02** Exposition *Imperfect Math* (« Mathématiques imparfaites »), Centro Municipal de Arte Hélio Oiticica, Rio de Janeiro, Brésil, 2010. **03** *Rio de Janeiro's Long-Term Consumption Map* (« Carte de consommation à long terme de Rio de Janeiro ») (détail), carte statistique obtenue à partir de capsules de bouteille collectées dans la ville, 2001-2010. **04** *Sans titre*, cinq ballons reliés, 2008.

05 *Cubic IV* (« Cubique IV »), panneau de ballons de football
cousus ensemble, 2008. **06** *Cubic Ball* (« Ballon cubique »),
panneau de ballons de football cousus ensemble, 2008.
07 *Branding Iron* (« Fer de marquage »), fer pour le marquage
du bétail avec logo Nike, 2006. **08** *Cow Ball* (« Ballon vache »),
ballon en cuir de vache, 2005.

candidats à un détournement ludique, des
articles disponibles dans le commerce, qui
appartiennent au quotidien. Une de ses séries,
prenant pour modèles des peluches, était
intégralement constituée de pétards (2003).
Une fois terminées, les œuvres donnaient
l'impression ambivalente de réclamer des câlins
et, en même temps, de risquer d'exploser à tout
instant. Toujours dans le thème des ballons de
football, Barbosa a proposé une autre création,
métaphore de la nature passionnée et explosive
de ce jeu, dans laquelle des groupes de grosses
allumettes agglutinées composent des formes
hexagonales et pentagonales associées au
ballon (2000).

Barbosa mène souvent de front plusieurs
séries nécessitant différents types de ressources.
Il lui arrive de les entreposer plusieurs années
dans son atelier sans parvenir aux résultats
souhaités. Leur collecte constitue souvent
une part importante de son travail. Pour sa
composition en capsules de bouteille, il a
passé des semaines à errer dans Rio de Janeiro
à la recherche de ces petits objets. Le projet
n'était pas seulement visuellement frappant,
il prenait la dimension d'une étude statistique
sur les marques les plus consommées. Barbosa
a une préférence pour les matériaux qui ont
un vécu, de façon à ce que l'œuvre obtenue soit
l'alliance des associations qu'ils suscitent dans
l'esprit du spectateur et de leur reconfiguration
par l'artiste. « Je transforme le moins possible
le matériau parce que je ne veux pas perdre
sa signification originelle. Il ne s'agit pas
seulement de modifier la fonction d'un objet.
Il s'agit de sublimer ce qu'il nous dit. »

Andrés Basurto

L'artiste mexicain Andrés Basurto confectionne des crânes en mosaïque éclatants à partir de tessons de bouteilles de bière et de vin. Les images de crânes sont une tradition ancienne et populaire dans la culture mexicaine, que l'on retrouve dans les *tzompantlis* (rangées de pieux sur lesquels sont empalés des crânes) des Mexicas (les Aztèques), les *calaveras de azúcar* (« crânes en sucre ») du jour des Morts, jusque dans l'œuvre de José Guadalupe Posada, un illustrateur du XIXe siècle. Basurto s'inspire de l'une des plus célèbres reliques des Mexicas, le masque de Tezcatlipoca, aujourd'hui détenu par le British Museum à Londres. Cet objet l'a toujours fasciné : « Enfant, je l'avais vu en photo, mais je n'ai pu l'observer de près qu'à l'occasion de l'exposition *Moctezuma* à Londres [en 2009]. En me retrouvant face à lui, j'ai eu les larmes aux yeux. »

Dans cet hommage à l'histoire culturelle foisonnante du Mexique, Basurto place le crâne, symbole classique de la mort, sous une nouvelle lumière. Plutôt que de s'appuyer sur ses connotations négatives traditionnelles, il le détourne pour révéler la beauté de matériaux mis au rebut et leur donner une seconde vie. « Je ne suis pas croyant, mais la signification et la beauté de la tradition mexicaine, qui consiste à décorer un autel [pour les défunts] le jour des Morts, m'ont toujours captivé. Le crâne humain est magnifique, à mes yeux il signifie plus la vie que la mort. Je ne le trouve ni morbide, ni macabre. » Alors que la nature brute, brisée et inutile des fragments de verre qui composent ses crânes, habilement soudés ensemble avec de la résine époxy, nous rappelle de façon poignante la fragilité de la vie, son alliance étonnante de couleurs transparentes et vives délivre un profond message d'espoir.

En 2003, Basurto, alors étudiant à la School of Visual Arts de New York, a commencé à s'intéresser à la fabrication de sculptures à partir de déchets. Il a d'abord utilisé du carton, qu'il a façonné pour former des têtes de taureaux et des mains humaines. L'idée d'utiliser des mosaïques en verre lui est presque venue par hasard : « Un acte de destruction me l'a inspiré. Une nuit, après avoir bu quelques *caguamas* [bières] et une bouteille de vin, dans un élan stupide, j'ai jeté les bouteilles vides sur le sol. Elles ont éclaté. Le lendemain matin, j'ai songé que reconstruire les bouteilles sous leur forme originale pouvait être le fondement d'une création conceptuelle digne d'intérêt. Logiquement, l'étape suivante consistait à leur donner une nouvelle vie et une forme de crâne. »

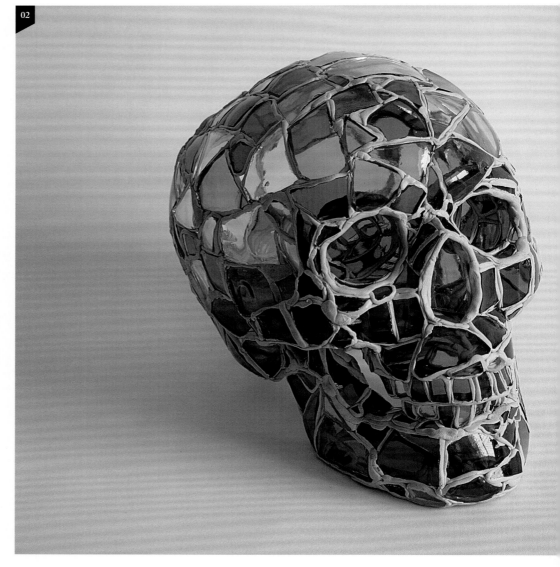

01 L'artiste au travail. 02 *Azul* (« Bleu »), verre brisé et mastic époxy, 2011. 03 *Verde* (« Vert »), verre brisé et mastic époxy, 2011. 04 Création en cours.

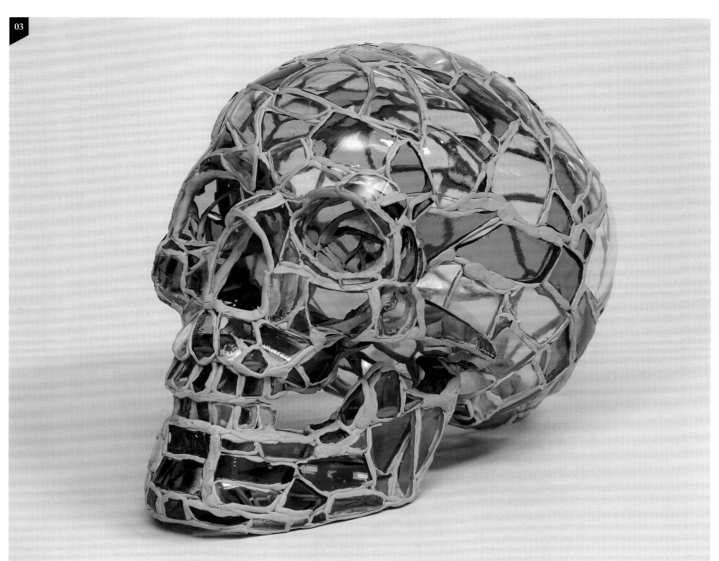

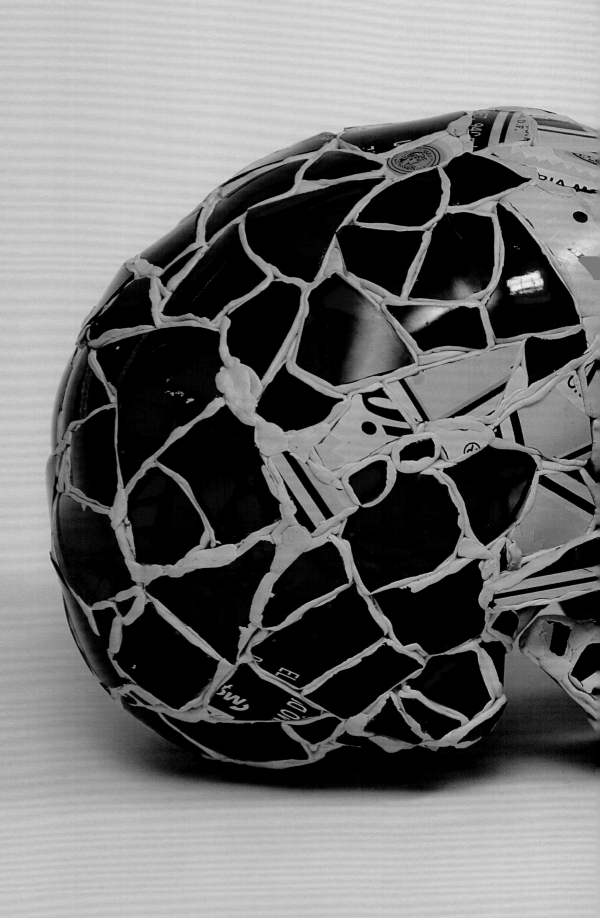

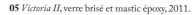

Comme Basurto le constate, de nombreux artistes contemporains ont fait du crâne humain un élément de leur langage visuel. Lorsque Damien Hirst a exposé en 2007 son crâne serti de diamants, *For the Love of God* (« Pour l'amour de Dieu »), Basurto a hésité à interrompre la fabrication de ses crânes en verre, craignant que toute œuvre inspirée de ce thème ne soit comparée à la « boule à facettes » de Hirst. Cependant, ses doutes ont rapidement été balayés. Si le *memento mori* de Hirst fait réagir, en raison de son emploi extravagant des diamants qui donne au crâne un aspect grotesque, les créations de Basurto reflètent le désir humain de préserver la vie, tout en transposant, à travers son utilisation innovante du verre recyclé, la tradition ancienne du crâne humain dans l'art du XXIe siècle.

Basurto a exposé ses crânes dans des galeries de New York, Paris et Mexico, sa ville natale. Bien que la sculpture soit sa discipline de prédilection, c'est également un peintre talentueux, qui estime que partager son temps entre ces deux disciplines l'aide à garder les idées claires ; le processus et le résultat n'en sont que plus exaltants. En 2008, il a été nommé au BP Portrait Award et sa contribution a été exposée à la National Portrait Gallery de Londres.

Zadok Ben-David

Zadok Ben-David est né au Yémen et a grandi en Israël, mais il vit au Royaume-Uni depuis le milieu des années 1970 et a étudié à l'université de Reading et au Central Saint Martins College de Londres. Ses racines, ses expériences et son parcours d'études ont fortement influencé l'ensemble de sa production de sculpteur. À l'image des terres désertiques du Yémen et des paysages israéliens, ses premiers travaux se caractérisaient par des couleurs et des textures chaudes, et présentaient des corps d'animaux inspirés de lectures de l'enfance. Durant ses études, il a été marqué par les travaux de sculpteurs britanniques majeurs comme Anthony Caro, lui-même enseignant à Saint Martins, et par les mouvements dominants de l'abstraction et de l'art conceptuel. Au fil du temps, les surfaces de belle texture qui prédominaient initialement dans ses œuvres ont laissé place à une véritable fascination pour les silhouettes, tandis que des recherches rigoureuses l'ont incité à explorer certains thèmes tels que l'évolution et la métaphysique.

Fort d'une carrière qui se déploie sur plus de trois décennies, couronnée par de nombreux prix et expositions monographiques saluées par le public et la critique, Ben-David se consacre à l'exposition d'installations, à des commandes publiques d'œuvres d'art et à des sculptures pour des clients privés dans son atelier londonien. Sa pratique met en avant un jeu d'échelles ; il développe des projets à petite échelle puis les construit avec des dimensions monumentales. Ainsi, le processus garde sa fraîcheur sans s'interdire de l'improvisation et des ajustements, car il adapte ses travaux selon les contextes.

Exposée dans de nombreux lieux depuis 2007, l'installation *Blackfield* de Ben-David illustre son usage ludique et extrême de l'échelle. Elle comptabilise 20 000 silhouettes de plantes en acier trempé de 15 cm de haut sur un lit de sable blanc. Une face de ces sculptures gravées à l'eau forte est peinte en noir mat, l'autre dans une couleur vive ; le contraste crée un effet onirique et impressionniste. À l'instar des illustrations botaniques victoriennes qui les ont inspirées, ces œuvres délicates sont en deux dimensions ; pourtant, placées dans un espace en trois dimensions, elles offrent une vision fascinante. Bien qu'elle ne cherche pas à être réaliste, cette collection de silhouettes qui se chevauchent, riches de détails exquis, nous rappelle le don merveilleux que nous fait la nature. Pour l'artiste, c'est « une métaphore du comportement et des sentiments humains ».

01 *Leftover* (« Vestiges »), acier Corten, Chatsworth Estate, Derbyshire, Royaume-Uni, 2010.

03

02 *Blackfield*, 12 000 fleurs en inox peintes à la main, Shoshana
Wayne Gallery, Santa Monica, États-Unis, 2009. 03 *Blackfield*,
11 000 fleurs en inox peintes à la main, Biennale de Singapour,
Singapour, 2008. 04 *Blackfield* (détail). 05 *Blackfield* (détail).

« Dans des temps difficiles, explique-t-il, il est facile de voir le monde en noir… Or il suffit de petits efforts, de regarder le monde sous un autre angle, pour que celui-ci nous apparaisse comme beaucoup plus positif et rassurant. »

Outre ces explorations de la nature, le corps humain est un thème récurrent de l'œuvre de Ben-David, souvent juxtaposé à des éléments de la nature : arbres, fleurs et animaux. Une œuvre centrale dans ce processus de pollinisation croisée est *For Is the Tree of the Field Man* (« Car l'arbre des champs est-il un homme ») (2003), exposé au musée Yad Vashem de Jérusalem. Le feuillage et les branches, en acier Corten, déployés sur plus de

6 mètres de haut, sont composés de centaines de corps représentant des partisans réfugiés dans la forêt. L'arbre symbolise aussi l'espoir et la croissance. Cette œuvre phare a entraîné une série d'œuvres jouant sur la même idée, comme *Leftover* (« Vestiges ») (2006) et *You Again* (« Vous encore ») (2006), où le corps humain est constitué de feuilles.

Le dessin est au cœur du projet artistique de Ben-David. Certaines pièces en nécessitent des milliers ; à travers cette technique, de nouvelles idées surgissent. La superposition de dessins peut notamment suggérer une image accidentelle ; l'ajout d'un contour, ou un traitement ludique de l'espace positif et négatif,

peut stimuler de nouvelles idées visuelles. Tout au long de sa carrière, Ben-David a manipulé de nombreuses ressources – bois, argile, sable –, mais le métal a aujourd'hui sa préférence. La plupart de ses sculptures de taille moyenne privilégient l'aluminium, découpé manuellement avec une lame de scie sauteuse. Ses grandes œuvres, exposées en extérieur, sont en acier Corten découpé à la main au jet de plasma ; les intempéries se chargent de les patiner d'une couleur rouille. L'acier ne permet pas autant de liberté que la peinture, pourtant Ben-David parvient à produire des œuvres pleines de vie, qui semblent en mouvement.

06, 07 *Innerscape on the Move* (« Paysage intérieur en mouvement »), acier Corten, Chatsworth Estate, Derbyshire, Royaume-Uni, 2008. 08 *For is the Tree of the Field Man* (« Car l'arbre des champs est-il un homme »), acier Corten, Musée Yad Vashem, Jérusalem, 2003.

08

Robert Bradford

L'artiste britannique Robert Bradford, installé en France, s'est longtemps intéressé à des approches insolites de la sculpture et s'est fait connaître pour son recours à des matériaux durables et des objets recyclés. Son portfolio hétéroclite comprend des créations monumentales telles que *Bombus Bee* (« Abeille Bombus ») (2001-2002), une attraction très appréciée de l'Eden Project à Cornwall (Angleterre), des silhouettes pyrotechniques gigantesques qui prennent vie dans un torrent de lumière, et des représentations en bois surdimensionnées de créatures comme des chiens et des oiseaux, qui ont fait l'objet de beaucoup de commandes pour des lieux publics. Récemment, il s'est pris d'intérêt pour les jouets en plastique : il intègre des centaines de jouets récupérés à des sculptures complexes de formes humaines et animales.

Au centre de son art depuis 2004, les sculptures en jouets ont su capter l'imagination des amateurs d'art et des amoureux du jeu. Au cœur d'un petit village de la banlieue lyonnaise, le moindre espace vacant de son atelier est rempli de travaux en cours, cartons et sacs de jouets classés par couleur. Ils semblent figés dans le temps, comme s'ils attendaient de servir. Il trouve ces babioles dans les marchés aux puces et les magasins de vente au rabais de Lyon ; certaines lui sont données par des amateurs de son travail. Les éléments sont choisis selon leur couleur et leur forme : « Des corps articulés parce qu'ils se plient sur d'autres objets, des rails de petit train parce qu'ils sont droits ou courbes… Des revolvers, car j'aime l'idée d'une arme qui ne peut pas blesser pour de vrai, et qu'ils s'articulent aussi autour d'autres objets ; on trouve également une grande variété de couleurs, de genres… Tout ce qui m'interpelle ou qui me paraît bien conçu, susceptible de s'insérer à des fins figuratives, de faire office de muscles, cheveux, oreilles, etc. »

Bradford aime que son processus de construction demeure simple, loin des hautes technologies ; la création d'une sculpture l'occupe parfois plusieurs semaines. La silhouette de base est construite avec des plaques de contreplaqué qui constituent la face et le profil, des pièces supplémentaires sont ajoutées pour les membres et éventuellement certains traits, collées et vissées ensemble pour former un tout. Les jouets sont ensuite vissés individuellement sur le support. Pour cet artiste, la forme est essentielle : « Je n'aime pas les créations qui négligent la forme ou l'asservissent totalement au concept. » Ainsi, le but visuel premier des jouets est de refléter et de sublimer la forme globale.

01 *Sniff Without (Guns or Barbies)* (« Chien sans (fusil ni Barbie) ») (détail), 2010. 02 L'atelier de l'artiste, 2010. 03 *Sniff Without (Guns or Barbies)* en cours de construction, 2010. 04 Boîtes de matériaux, 2010.

04

05 *Pug One* (« Carlin »), jouets sur bois, 2009. **06** *Terrierist* (« Terrieriste »), jouets et pinces à linge sur bois, 2008. **07** *Dark Sniff* (« Chien noir »), jouets sur bois, 2010. **08** *Foo Foo*, jouets sur bois, 2008. **09** *Mini Dog* (« Mini-chien »), jouets sur bois, 2008.

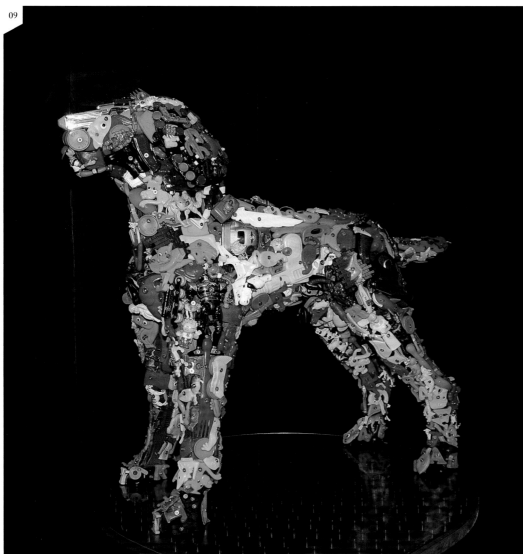

09

« J'aime l'idée de "détail en opposition à l'ensemble" qui se dégage visuellement de ces créations, ajoute-t-il. L'argile, le métal, le bois, la pierre, etc. n'ont pas véritablement de vie propre. Ce sont des matières mortes qui attendent d'être animées. Les matériaux qui ont déjà servi ont un vécu : à leur façon, ils nous le racontent. Chaque jouet en soi désigne un aspect de la vie, et les objets recyclés ont aussi une vie, leur usage passé. Mon travail consiste souvent à atténuer ces références, ces vies antérieures, au service d'un tout. Chaque centimètre carré d'une création doit avoir une signification, faire sens en quelque sorte, avoir de l'intérêt en soi. »

Plutôt fier de sa réputation d'artiste « écolo », Bradford affirme clairement que ce n'est pas là son seul message. « Mes choix sont moins moraux que conceptuels ou esthétiques, indique-t-il, et j'aime que l'on compare mes sculptures à des documents historiques. Si les matériaux étaient flambant neufs, ils auraient une signification et un aspect différents. » À l'image des créations, la philosophie de chaque pièce a plusieurs niveaux. L'objet principal – un chien, un revolver ou un corps humain – nous présente une perception unique. Mais lorsque le spectateur se rapproche, il découvre des centaines de perceptions individuelles plus petites. Certaines portent des traces de leur histoire inexprimée, d'autres entament à peine la leur au sein de cette nouvelle création. Pourquoi des jouets ? Bradford l'explique très bien lui-même : « Pouvez-vous trouver un autre objet qui existe dans une telle variété de choix et renvoie de tant de façons à différents aspects de l'existence ? Moi, non. »

10 *Fairy Nuff One* (« Fée morale »), parties de coiffure
de Barbie reconstituées, jouets, pinces à linge et paillettes,
2011. **11** *Toy Girl* (« Fille jouet »), jouets sur bois, 2009.

10 *Fairy Nuff One* (« Fée morale »), parties de coiffure
de Barbie reconstituées, jouets, pinces à linge et paillettes,
2011. **11** *Toy Girl* (« Fille jouet »), jouets sur bois, 2009.
12 *Sniff Without (Guns or Barbies)* (« Chien sans (fusil ni
Barbie) »), 2010. **13** *Pistol* (« Pistolet »), jouets sur bois, 2011.

Peter Callesen

L'artiste danois Peter Callesen prend un malin plaisir à donner vie à des sculptures délicates, apparemment impossibles, à partir de feuilles de papier blanc au format A4. C'est la neutralité spatiale et métaphorique de ce matériau vierge, omniprésent dans sa production, qui lui sert de point de départ et lui donne la liberté d'explorer ses possibilités à travers sa transformation. Particulièrement attaché au contraste entre espace positif et espace négatif, il découpe une forme puis crée avec le matériau extrait un objet, qui complète la composition. S'il coupe parfois les bords du papier retiré, il ne fait jamais aucun ajout : le papier découpé, avec lequel est créée la forme, est l'unique matériau de ces œuvres en trois dimensions.

Après une formation en architecture, Callesen a étudié à l'Académie des beaux-arts du Jutland à Aarhus, au Danemark, et au Goldsmiths College de Londres. Il s'est d'abord consacré à la peinture, la vidéo et la performance, puis est progressivement passé aux sculptures et installations en papier, qui sont devenues sa marque de fabrique. Sa carrière a connu un tournant décisif en 2003 lorsqu'il a été invité à participer au festival Amorph de la performance artistique à Helsinki. Il a conçu pour l'exposition un château blanc flottant en polystyrène expansé ainsi qu'un modèle de château en papier miniature pour le catalogue, à découper et monter soi-même. Le modèle était si petit et si complexe qu'il était pratiquement impossible à assembler. Six mois après l'exposition, Callesen est revenu sur ce concept : « J'ai voulu fabriquer le château à partir du modèle, et il s'est avéré que c'était en fait possible. En un sens, l'impossible est devenu possible. »

La clé de l'œuvre extraordinaire de Callesen réside dans la transformation du papier au point qu'il perd son apparence et son comportement habituels, et que le spectateur se laisse prendre au jeu. L'artiste modèle, découpe et façonne le papier pour lui faire faire l'impossible. Ses outils sont rudimentaires : il exécute ses créations au scalpel. Il a toutefois mis au point certains instruments pour faciliter les découpes courbes. À l'aide d'outils spéciaux en bois, il a trouvé des moyens pour étirer les fibres du papier par une opération de pressage qui lui permet d'obtenir des courbes multiples et complexes. De vieux équipements de chirurgie dentaire lui servent pour les détails, le collage et le façonnage de l'ensemble. Ses sculptures reposent généralement sur la résistance naturelle du papier, mais il renforce

01 *Fall* (« Chute »), papier de 140 g/m² sans acide. **02** *Distant Wish II* (« Souhait lointain II »), papier au format A4 de 115 g/m² sans acide et colle, 2008. **03** *Gennemsigtig Gud* (« Dieu transparent »), papier de 140 g/m² sans acide et colle, 2009.

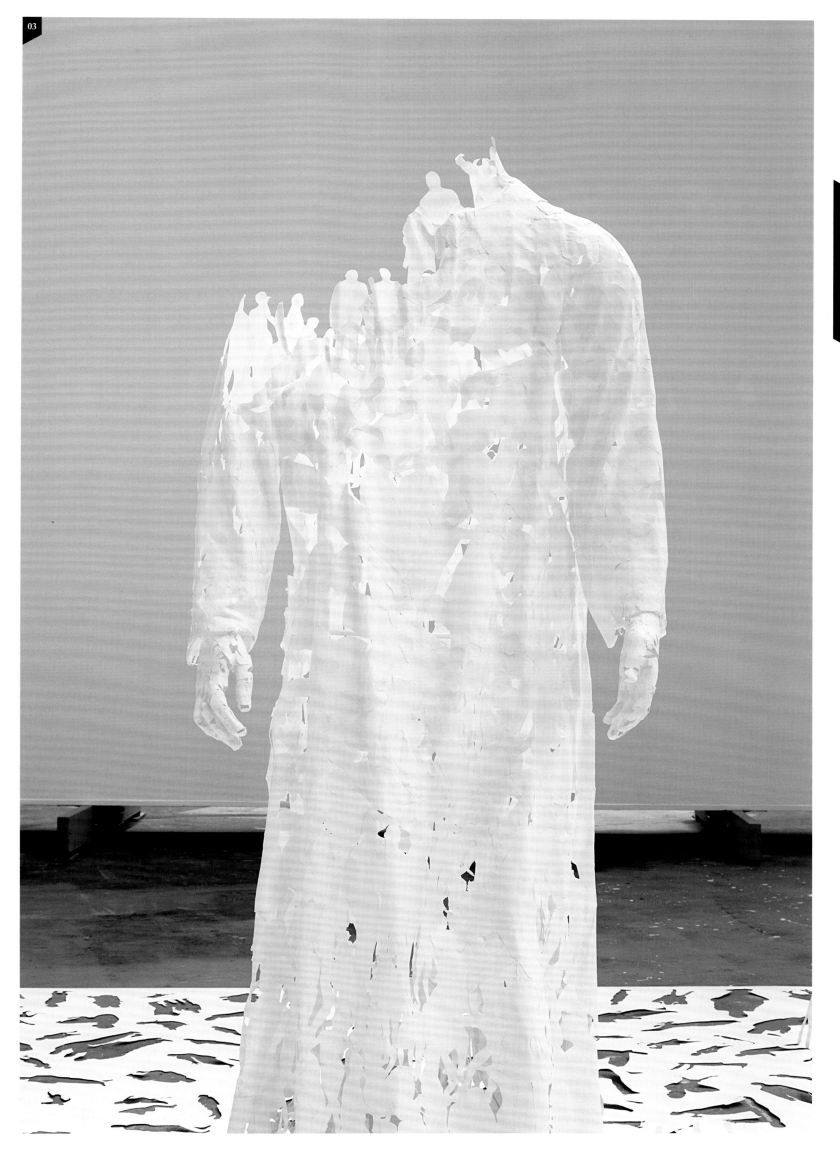

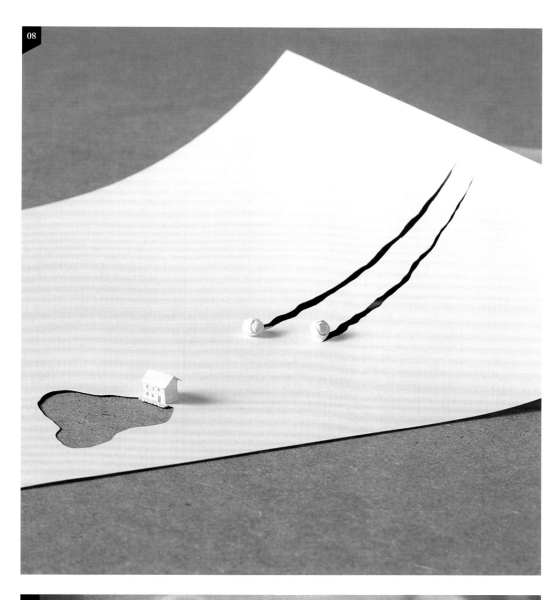

04 *Holding on to Myself* (« Je me raccroche à moi-même »), papier au format A4 de 80 g/m² sans acide, peinture acrylique et cadre en chêne, 2006. 05 *The Core of Everything III* (« Le Cœur de toute chose III »), papier au format A4 de 115 g/m² sans acide, peinture acrylique et cadre en chêne, 2008. 06 *Hanging Image* (« Image suspendue »), papier de 120 g/m² sans acide, aquarelle, crayon, colle et cadre en chêne, 2008. 07 *Cowboy*, papier au format A4 de 115 g/m² sans acide, peinture acrylique et cadre en chêne, 2006. 08 *Snowballs II* (« Boules de neige II »), papier au format A4 de 115 g/m² sans acide et colle, 2006. 09 *Birds Trying to Escape their Drawings* (« Oiseaux tentant de s'échapper de leur dessin »), papier de 115 g/m² sans acide et colle, 2005.

parfois ses grands formats par des rouleaux de papier, ou intègre des plis avec de la colle sans acide.

Callesen ne cesse jamais de s'étonner du potentiel d'une simple feuille. La création de formes positives et négatives à partir d'une seule feuille de papier a quelque chose de magique. Il imagine toujours un lien entre les deux espaces – c'est-à-dire entre la forme qu'il découpe pour créer un objet, et le vide que celle-ci laisse derrière elle. Du fait de l'existence d'une image avant et après, moteur d'une tension dynamique, on a comparé son travail à de l'animation. Avec un matériau aussi fragile, l'échelle a son importance, elle apporte à ses miniatures un aspect onirique et enchanteur : « Le papier blanc et fin donne aux sculptures une fragilité qui souligne la dimension tragique et romantique de mes créations. »

À partir d'une idée couchée sur le papier sous forme de croquis, son approche et sa réflexion se situent, pour reprendre ses termes, « quelque part entre la 2D et la 3D », et son œuvre est « un tableau de Magritte inversé ». Contrairement à René Magritte, qui défiait nos perceptions en démontant l'illusion d'images dans des tableaux tels que *La Trahison des images (Ceci n'est pas une pipe)* (1928-1929), Callesen dévoile les possibilités de l'image en tant que réalité ou matérialité. Ses sculptures jouent sur la relation entre des forces et des espaces positifs et négatifs, où l'absence d'un élément compte autant que la présence d'un autre.

Monica Canilao

L'artiste américaine Monica Canilao a une approche profondément holistique de son art. Fascinée par les concepts de patrie, de communauté, par les relations humaines et les histoires personnelles, elle s'en inspire de façon à la fois littérale et métaphorique. Elle est convaincue que rien ne doit être gaspillé, que tout déchet, lié au vécu de l'individu, a une histoire. Elle rassemble des objets jetés aux ordures ou mal entretenus et les réemploie directement dans ses œuvres pour leur insuffler une nouvelle vie. « La beauté des constructions humaines à travers le temps, et leur détérioration par la suite se retrouvent dans mes créations, explique-t-elle. Ces objets, trouvés dans des lieux abandonnés, ont autrefois appartenu à quelqu'un, lui étaient chers. Leur récupération et leur recyclage me procurent un fondement solide pour mes compositions. »

Canilao préfère travailler à l'instinct plutôt que de s'en remettre à des plans. Néanmoins, si elle multiplie les matériaux, toutes ses œuvres sont imprégnées de son obsession du concept de chez-soi, de racines et d'histoires personnelles. À ses yeux, ses compositions sont un « désir irrépressible de relation humaine, de collaboration avec l'autre ». Ses expériences personnelles sont entremêlées à ses matériaux, « l'empreinte que l'histoire a laissée sur [elle] » étant l'une des clés du récit qu'elle crée : « Beaucoup des matériaux que je récupère, à l'étranger et dans mon pays, me servent de repères tactiles de mémoire de lieux que j'ai visités, de choses que j'ai vues, d'événements vécus. Parce qu'ils sont les fruits de mes expériences, je peux les assembler d'une façon plus personnelle. »

Les collages des portraits anciens de Canilao illustrent son esthétique et ses méthodes de travail. Elle assemble des objets abandonnés, qui se détériorent, associés à des photographies trouvées, du papier taché et d'autres matériaux. Les compositions finales redéfinissent l'identité des sujets originaux, devenus fétiches ou totems. Dans ces compositions, elle joue avec la notion d'inversion de la colonisation des peuples indigènes dans l'histoire. Que serait-il arrivé, se demande-t-elle, si les colons américains étaient devenus sauvages et avaient rejeté leurs conventions sociales ?

Tout dernièrement, l'une de ses œuvres les plus ambitieuses faisait partie du *Powerhouse Project* (« Projet Laboratoire ») (2010). Six artistes s'étaient vus attribuer une maison délabrée dans une rue de Detroit,

01, 02, 03 L'atelier de l'artiste.

04

05

06

07

08

aux États-Unis. Ils avaient carte blanche sur leur espace, du sur-mesure pour Canilao tant le projet s'attache à l'idée de communauté disparue et aux empreintes du vécu sur les murs des habitations. Canilao a fouillé les alentours de la maison et rassemblé des objets – fragments de métal rouillé, ampoules grillées, vieilles tapisseries déchirées fièrement exposées autrefois dans les demeures familiales –, des babioles du quotidien qui avaient apparemment fini leur vie d'objet, jusqu'à son arrivée.

Elle a entremêlé une foule de ces petits objets dans une immense installation en forme de lustre qui occupait pratiquement tout le deuxième étage de la maison. Les plus volumineux ont été intégrés dans des sculptures et des installations au rez-de-chaussée. Certains objets ont trouvé leur place devant la maison, au sein d'un collage complexe dans l'esprit d'une mosaïque, mêlant également de la peinture et du bois. Avec sa sensibilité, Canilao n'a pas seulement réintroduit du vécu dans la maison, elle l'a fait à l'échelle de la communauté en choisissant des matériaux qui avaient autrefois appartenu à des personnes dont la vie était influencée par les alentours immédiats.

L'artiste continue de donner à son travail de nouvelles orientations exaltantes : « Plus je vis des expériences, plus je creuse profondément, et plus mes possibilités sont grandes ; je ne peux donc pas toujours prédire où mon chemin me mènera. »

09

10

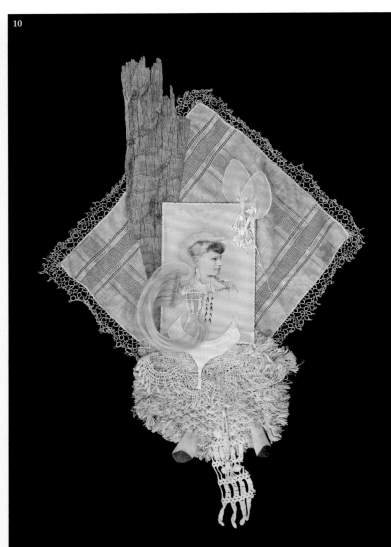

11

12

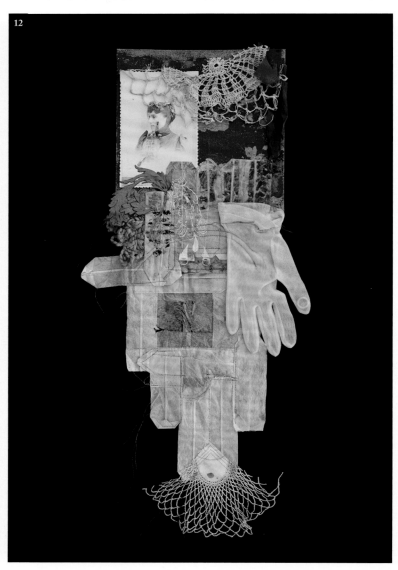

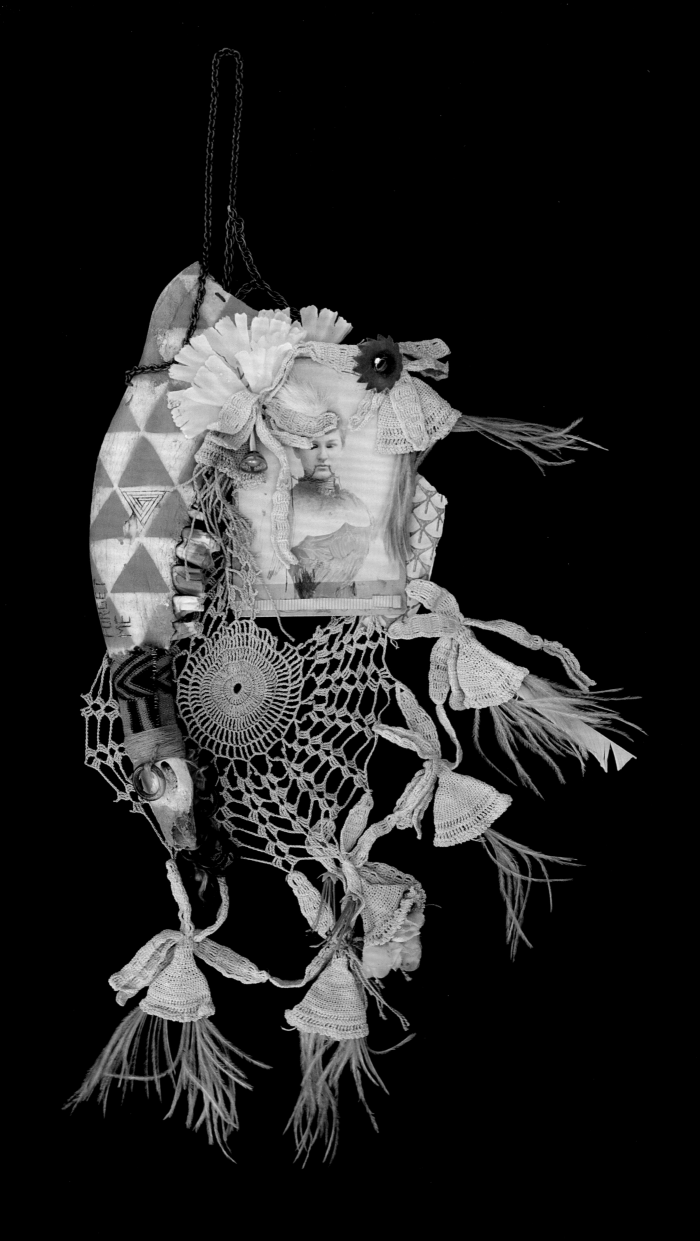

14 *When this smog clears from our throats we will still be in love
with the same things* (« Lorsque nos gorges seront débarrassées
de ce smog nous serons toujours amoureux des mêmes
choses »), collage de techniques mixtes. **15** *Owned Worker*
(« Employé détenu »), collage de techniques mixtes.
Au verso **16** *Stranded, Saved* (« Échoué, sauvé ») (détail), collage
de techniques mixtes.

Klaus Dauven

On appelle souvent les créations de Klaus Dauven des « graffitis à l'envers » ou « anti-graffitis ». Contrairement aux graffitis, qui enrichissent les couches externes de l'environnement urbain avec de la peinture en spray, les « anti-graffitis » reposent sur un processus de suppression de matière : les artistes créent des compositions minutieuses en débarrassant de leur crasse les murs de nos villes. Sans lien avec le mouvement du graffiti, l'artiste allemand puise dans ses expériences de dessinateur. Peu importe l'échelle et la matière, ses œuvres sont pour lui des dessins avant tout.

Depuis des années, Dauven se présente comme un dessinateur qui multiplie les outils et techniques. Ses motivations et thèmes dépendent systématiquement du procédé choisi. C'est en 1997 qu'il a découvert comment faire des marques inversées sur des surfaces sales. Ses tentatives d'agrandir un petit dessin au fusain s'étaient révélées infructueuses. Frustré, il a gommé le fusain jusqu'à ce qu'il forme une couche homogène sur la feuille de papier. Elle était si sale qu'il a voulu passer l'aspirateur dessus avant de la jeter : il a alors remarqué des traces intéressantes sur le papier. Cet essai a été le premier d'une longue série avec cette technique du dessin inversé.

En 1999 ont débuté ses premiers essais en plein air. À l'aide d'une brosse métallique, il a dessiné sur un mur de béton sale et un pont près de sa ville natale de Düren. Les résultats, simples en comparaison de ses œuvres plus récentes, ont mis en branle son imagination. Au fil des années, ses travaux ont gagné en complexité et en taille, et, en 2007, on l'a invité à créer son œuvre la plus grande à ce jour, au barrage d'Oleftalsperre en Allemagne. Ses murs couverts de crasse et de mousse ont offert à Dauven une toile gigantesque. Il a choisi pour motifs dix silhouettes d'animaux, incarnations de la faune de la région. Après quelques croquis et plans préliminaires, il s'est lancé dans la tâche titanesque qui consistait à reproduire leurs contours avec un jet d'eau à haute pression. Aucun détergent ni autre produit chimique n'a été utilisé : le processus devait être entièrement écologique. Le résultat est sans doute le plus grand dessin au monde, déployé sur plus de 3 000 mètres carrés.

En 2008, Dauven s'est consacré à une commande semblable, cette fois au barrage de Matsudagawa, dans la préfecture de Tochigi au Japon. Après une longue réflexion, il a choisi les pétales d'azalée comme motif de cette œuvre baptisée *Hanazakari* (« En fleurs »). À l'origine, il avait prévu de représenter des

01

01, 02 Création en cours, barrage de Matsudagawa, préfecture de Tochigi, Japon, 2008. 03 *Hanazakari* (« En fleurs »), barrage de Matsudagawa, préfecture de Tochigi, Japon, 2008. 04 Création en cours.

espèces endémiques, mais il leur a préféré la fleur, symbole universel de la nature plus facilement reconnaissable. Lorsque l'on songe à l'échelle monumentale de cette œuvre, le contraste entre les environnements artificiels et naturels est époustouflant. Comme le souligne dans sa critique Kazuhiro Yamamoto, le directeur du musée des Beaux-Arts de la préfecture de Tochigi, « le travail de Dauven dépasse le cadre conventionnel de l'art pour exposer paisiblement les dichotomies du beau et du laid, du bien et du mal nécessaire. S'il choisit un barrage, c'est pour nous faire prendre directement conscience de l'environnement de la Terre. »

L'imagerie et les techniques de Dauven délivrent un message écologique serein et discret. L'émerveillement du spectateur face à son œuvre dans des milieux naturels et urbains est tempéré par une subtile incitation à s'interroger sur la fragilité de notre environnement. L'œuvre intrinsèquement éphémère de Dauven évoque la pollution qui recouvre les bords de nos routes et la capacité de la nature à se propager dans les environnements urbains les plus hostiles. Elle témoigne à la fois de la survie difficile de la nature et de son pouvoir incommensurable.

07, 08 *Lido III*, crasse appliquée sur des torchons cousus
ensemble puis partiellement retirée avec un nettoyeur à
haute pression Kärcher, et pochoir, 2010.

Gabriel Dawe

Gabriel Dawe combine merveilleusement art optique et jeux sur la forme et la texture. Plusieurs centaines d'heures durant, il tend des milliers de fils multicolores, créant ainsi des installations admirablement prismatiques, dont la perception change selon l'angle du spectateur dans la salle. Né à Mexico, Dawe a grandi entouré par les traditions et artisanats répandus dans la culture mexicaine, qui transparaissent aujourd'hui dans son art. Sa mère avait le coup d'œil pour les objets artisanaux bien faits et les broderies très colorées, qu'elle collectionnait de différentes régions. Au cours d'un voyage mémorable dans le Chiapas avec sa famille, il a été frappé par un motif géométrique représentant l'univers, que les femmes brodaient traditionnellement sur leurs blouses. Il l'a plus tard intégré à une composition dans le cadre de sa thèse.

La passion latente de Dawe pour les métiers du textile s'est manifestée petit à petit. « Le désir d'expérimenter la broderie est né de ma frustration de grandir dans une société où règne le machisme. Enfant, mon attirance pour la broderie me donnait forcément le sentiment d'être inadapté. » En 2007 est née *Fear* (« Peur »), sa première série de pièces brodées à la main. L'année suivante, après avoir exercé plusieurs années l'activité de designer à Mexico et Montréal, il a déménagé à Dallas pour étudier l'art et s'y consacrer. « À Dallas, j'ai persévéré dans la broderie et débuté ma série *Pain* (« Douleur ») – ce n'est pas à proprement parler de la broderie, mais je la considère comme le prolongement de cette discipline. Les grandes pièces tissées sont pour moi une extension de la broderie, le processus étant très similaire du fait de son mouvement répétitif. »

Dawe a créé sa première œuvre à grande échelle en fils en vue de l'exposition *Transitive Pairings* (« Couples transitifs ») à Dallas (2010). Le projet consistait en la collaboration d'un artiste et d'un architecte afin d'explorer la relation entre mode et architecture. L'exposition présentait trois duos. Dawe a proposé une structure architecturale en fils, envisagée comme une recherche permanente. Toutes les installations du projet avaient été conçues en fonction du lieu, car elles devaient s'adapter aux limites d'un espace donné. Chaque installation était préparée avec un croquis, lequel était réinterprété par la suite comme une projection isométrique. Aucune formule mathématique n'intervenait dans le processus, seulement des plans minutieux et des mesures pour calculer les écarts entre

01 *Plexus no. 4*, fil Gütermann, bois et clous, Dallas Contemporary, Dallas, États-Unis, 2010. *Au verso* **02** *Plexus no. 4* (détail). **03** Matériaux en atelier. **04** *Plexus no. 4* (détail). **05, 06** *Plexus no. 3*, fil Gütermann, bois et clous, GuerillaArts, Dallas, États-Unis, 2010.

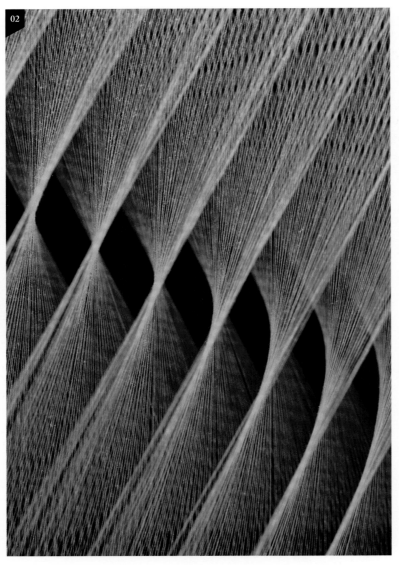

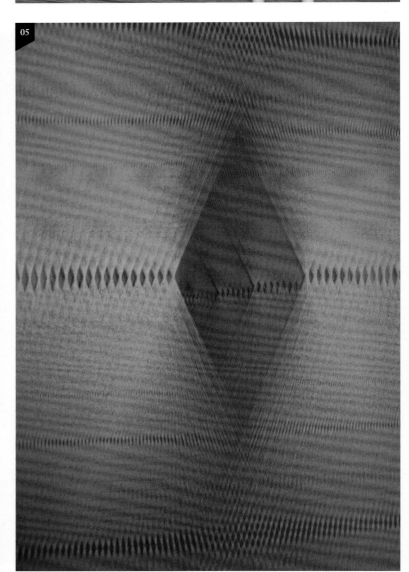

07, 08 *Plexus no. 3* (en préparation), fil Gütermann, bois
et clous, GuerillaArts, Dallas, États-Unis, 2010. **09** *Plexus
no. 4* (en préparation), fil Gütermann, bois et clous, Dallas
Contemporary, Dallas, États-Unis, 2010.

09

les clous, le nombre de fils au centimètre carré et la hauteur. La production finale a été affaire d'instinct. Dawe a employé des fils très fins, associés à une pratique féminine, pour créer de grandes structures nécessitant d'importants efforts physiques ; il a ainsi bouleversé l'usage traditionnel du matériau et remis en question les concepts de virilité et de machisme enracinés dans la culture mexicaine.

Hormis l'expérience hypnotique qu'offrent ces structures tissées très élaborées, elles ont aussi une dimension symbolique. Elles nous rappellent que le tissage et la construction architecturale sont des inventions humaines fondamentales, qui partagent des formes structurelles intrinsèques que l'on retrouve dans la nature. Pour l'artiste, ces pratiques reflètent le besoin humain élémentaire de se vêtir et de s'abriter ainsi que les constructions sociales essentielles à la survie de notre espèce.

« L'idée de construction sociale m'est venue de mes lectures de Michel Foucault et du théoricien de l'évolution Robert Wright ; j'ai le sentiment qu'ils parlent de la même chose, selon des perspectives différentes. Foucault voit les constructions sociales comme un artifice tenu en place par des cercles de pouvoir, qui leur assurent un contrôle sur les individus. La théorie évolutionniste de Wright se fonde sur les gènes et la théorie des jeux, que j'en suis arrivé à considérer comme un réseau d'événements qui nous ont conduits là où nous sommes, ainsi que comme des structures invisibles qui ont permis l'existence de la vie et de la nature. De mon point de vue, des structures, dans la nature, permettent à la vie d'exister ; par mes installations, je m'efforce de les représenter. À l'inverse, il est parfois difficile de repérer de la structure dans un monde de plus en plus chaotique et, pourtant, derrière les aspects incontrôlables de la vie, existent les lois immuables de l'univers. C'est là un paradoxe, et en même temps l'une des raisons pour lesquelles cette pratique me plaît tant. »

Baptiste Debombourg

Les créations du Français Baptiste Debombourg associent des matériaux aussi insolites que peuvent l'être des mégots de cigarette et des agrafes, et un sens de l'absurde au service d'opinions très tranchées, qui lui ont valu l'étiquette de perturbateur idéaliste. Son œuvre extraordinaire illustre son amour des méthodes peu orthodoxes, qui la placent dans des contextes inattendus ou la soumettent à des techniques destructrices. De son propre aveu, plus un acte est interdit, plus il le séduit, et peu importent les risques. La notion de « beauté » dans l'absurde n'en est pas moins essentielle dans sa production, que nous retrouvons dans les lieux les plus improbables.

Pour Debombourg, « l'art a toujours été un moyen d'échapper aux règles ». À l'origine, il produisait des peintures, mais, avec le temps, lui est venue la certitude qu'il pouvait s'exprimer plus naturellement via la sculpture et d'autres supports en trois dimensions. Dans le même esprit non-conformiste, il utilise souvent des déchets trouvés dans la rue, par opposition aux matières en parfait état conçues dans un but précis. Parfois, l'artiste dégrade ou découpe davantage encore ses matériaux de récupération. Dans sa série *La Redoute* (2005), il sculpte les catalogues de cette célèbre enseigne de vente par correspondance, au point qu'ils finissent par ressembler aux tracés d'une carte.

Puisant son inspiration dans la vie courante, il utilise souvent des objets et matériaux omniprésents et familiers pour les transformer avec originalité. Dans la série *Aggravure* (2007-2009), Debombourg, inspiré par *Les Quatre Disgrâces* (1588) de Hendrick Goltzius d'après Cornelis Cornelisz van Haarlem, a couvert un mur de près de 35 000 agrafes pour offrir une interprétation en relief d'une gravure classique. *Air Force One*, la première œuvre de la série, consacrée à la chute d'Icare, associe le pathos, la beauté et le mouvement affecté des maniéristes italiens à l'agression discrète de l'agrafeuse et ce que l'artiste nomme « l'utilité profane du quotidien ».

Outre les propriétés physiques de ses matériaux, Debombourg privilégie des objets et des ressources provoquant à leur façon. Dans une société régie par la consommation de masse, beaucoup d'articles courants représentent l'accomplissement du désir et incarnent notre vision d'une vie idéale. Debombourg est fasciné par les liens émotionnels que nous tissons avec des objets qui s'inscrivent dans ce désir de consommation. Au cours d'un entretien récent, il a fait ce commentaire : « Dans un bar, on entend

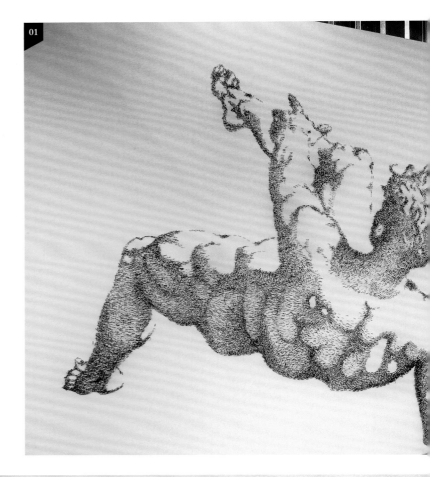

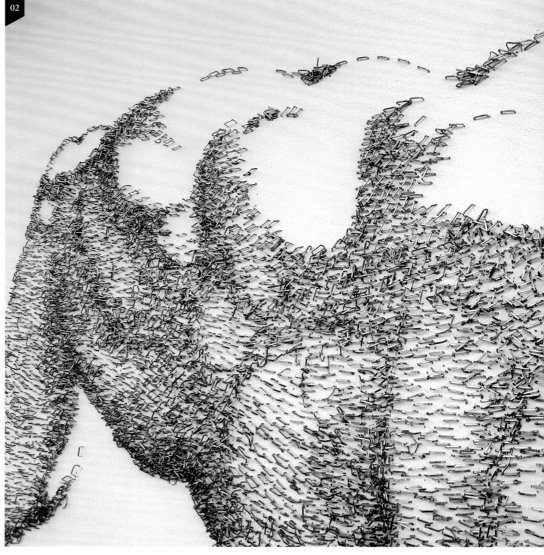

01 *Air Force One*, 35 000 agrafes sur un mur, série *Aggravure*, 2007-2009. 02 *Air Force One* (détail). 03 *La Redoute*, catalogues La Redoute sous plexiglas, 2005. 04 *La Redoute* (détail).

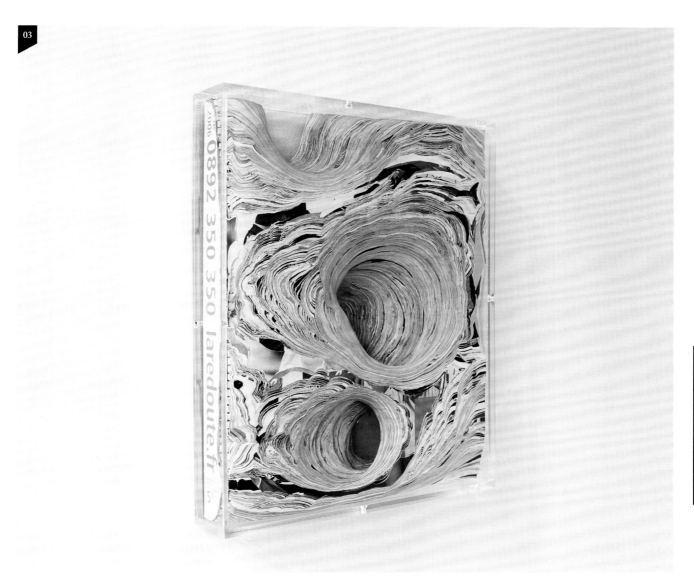

2006 **0892 350 350 laredoute.fr** 5

04

des ragots, de la philosophie de comptoir, mais également des propos sur Dieu et le destin. Tout cela ne dure que quelques minutes, le temps de fumer une cigarette. Ces détails, comme de vieux mégots, sont minuscules, pourtant ils débordent de vie. Les déchets portent notre vécu ou plutôt, ils le marquent de leur empreinte. Ces fragments de réalité représentent aussi pour moi une sorte d'échelle humaine. »

Le processus de la destruction est un thème récurrent dans l'œuvre de Debombourg. Une part importante de cette dernière est le geste lui-même : la destruction, à l'instar de la construction, est une expression humaine, et bien que nous soyons tous autant capables de faire l'un que l'autre, jouer sur notre nature destructrice brise un tabou conventionnel. En principe, un article usé est mis au rebut. En réaction à cette culture du tout-jetable, Debombourg crée souvent à partir d'objets qu'il a cassés. La destruction de ces articles, anodins par ailleurs, implique que leur construction et leur fonction sont indirectement réévaluées ; leur reconstruction fait d'eux des objets naturellement imparfaits et, en un sens, plus fidèles encore à l'humanité.

Debombourg explique que tous ses projets « sont d'une manière ou d'une autre liés aux relations humaines, à nos erreurs, doutes, désirs et perceptions de certaines réalités. [S]on travail repose sur l'exploration de notre psychologie par rapport aux objets, la recherche d'un lien entre la réalité et un idéal auquel nous aspirons tous. »

05 *Sans titre avec seau*, seau en plastique avec pare-brise d'automobile, galerie Patricia Dorfmann, Paris, France, 2009-2010. **06** *Turbo*, installation en bois, Galerie Patricia Dorfmann, Paris, France, Galerie HO, Marseille, France, et Galerija10m2, Sarajevo, Bosnie-Herzégovine, 2007-2009.

07 *Crystal Palace* (« Palais de cristal »), structure métallique,
verre feuilleté, verre de sécurité et colle UV, installation
d'abribus, 2008. **08** *Reach Within Shape the Future* (« Tends
la main façonne le futur »), série d'installations *Social Philosophy*
(« Philosophie sociale »), 2008. **09** *Mon ex-femme m'a piqué mon
ex-pognon*, *Social Philosophy*, 2008. **10** *Believable* (« Crédible »),
Social Philosophy, 2008. **11** *Winner Takes Nothing* (« Le perdant
ne remporte rien »), *Social Philosophy*, 2008.

Brian Dettmer

À l'ère de l'information, le livre physique, s'il est toujours vénéré, perd de son pouvoir en tant que mine d'informations, surpassé par la profusion des images et hypertextes sans cesse réactualisés disponibles sur Internet. L'artiste américain Brian Dettmer utilise des objets de communication de plus en plus anachroniques comme des livres ; il les sculpte pour les transformer en œuvres d'art qui, dans le même temps, revitalisent contenu et contexte. « Le livre en tant qu'outil de communication ne mourra jamais, dit-il, mais je pense en effet que le rôle de nombreux livres, pour la plupart de non-fiction, a radicalement changé. Je veux que mon travail rende hommage aux propriétés physiques du livre, à son histoire et au rôle qu'il a joué, qu'il incite le spectateur à s'interroger sur la place du livre dans notre monde actuel. »

Né à Chicago, Dettmer a étudié au Columbia College, où il s'est concentré principalement sur la peinture. Pour poursuivre ses études à l'université, il a accepté un emploi à mi-temps dans un magasin d'enseignes ; une fois son diplôme en poche, il a gardé ce travail alimentaire, consacrant ses nuits à ses créations artistiques. Cette expérience a peu à peu influencé son travail, à la fois sur les plans matériel et conceptuel. « Les lettres et les textes étaient mes matériaux de travail. La manifestation physique du texte illustre véritablement le gouffre entre sens et matériau dans la communication. De plus, comme j'avais un couteau X-acto en main tout au long de la journée, j'ai appris à maîtriser cet outil. » Cette activité l'a finalement mené à des œuvres plus tactiles et abstraites avec, dans un premier temps, l'application de livres déchirés sur une toile. Malgré sa culpabilité vis-à-vis des livres qu'il malmenait, ces derniers le captivaient en tant que moyen d'expression. Vers 2001-2003, il s'est lancé dans sa série des livres altérés. Le succès critique de son œuvre lui a permis de démissionner de son emploi alimentaire pour se consacrer pleinement à son art.

On a dit des techniques sculpturales de Dettmer qu'elles résidaient quelque part entre archéologie et acte chirurgical. Après avoir déniché un livre qu'il juge apte à subir ce processus, il réfléchit à la transformation qu'il lui imposera. À l'aide de pinces, de poids et de cordes pour tenir le tout en place, il scelle ses bords : le contenu est ainsi enfermé, et la structure en place. Le livre est désormais un matériau solide. Il le dissèque alors avec des couteaux, pinces à épiler et outils chirurgicaux, laissant le hasard piocher les images qui seront révélées. Désormais, il n'y aura plus ni

01, 02, 03, 04 L'atelier de l'artiste.

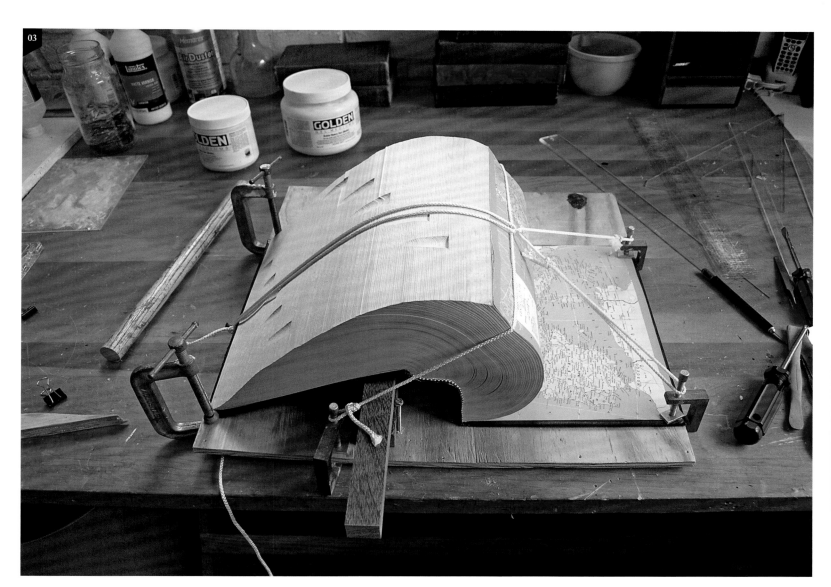

Brian Dettmer 86

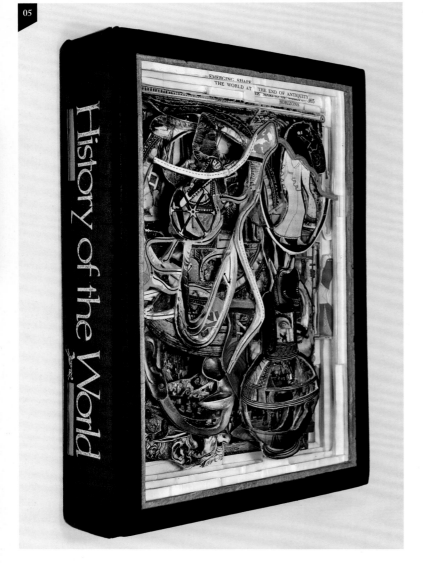

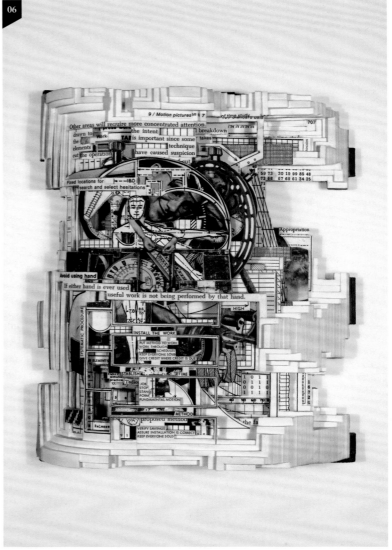

05 *History of the World* (« Histoire du monde »), livre altéré, 2010. **06** *Motion and Time Study* (« Étude du mouvement et du temps »), livre altéré, 2009. **07** *(Ci-contre) Totem*, ensemble d'encyclopédies classiques altérées, 2010.

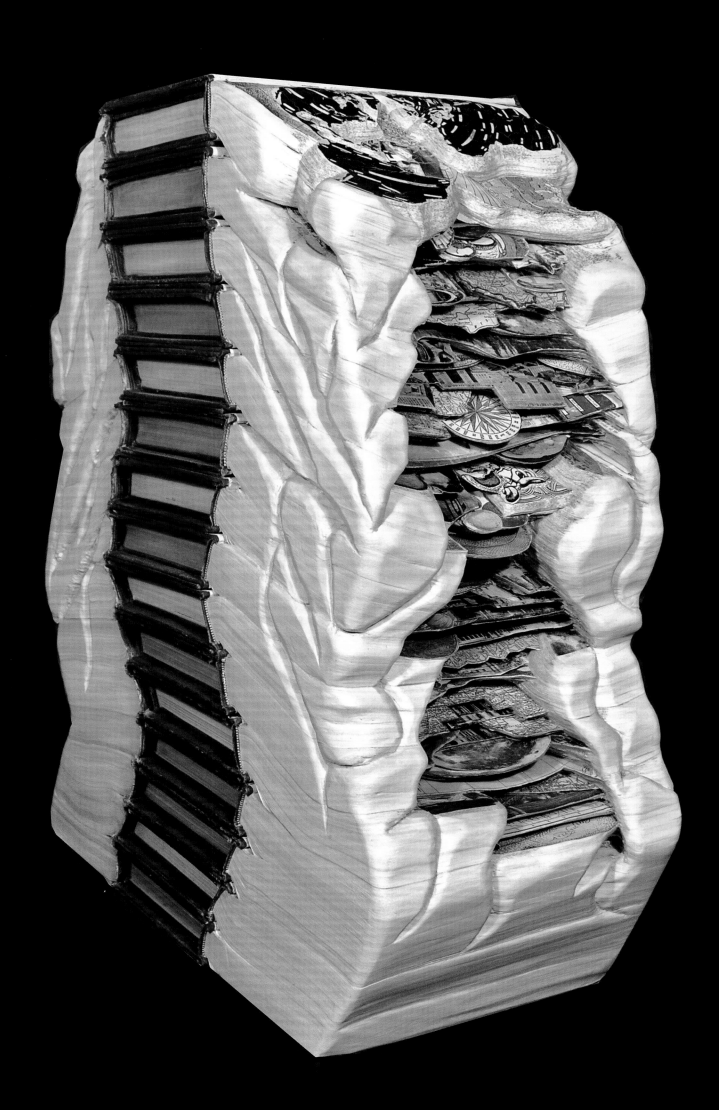

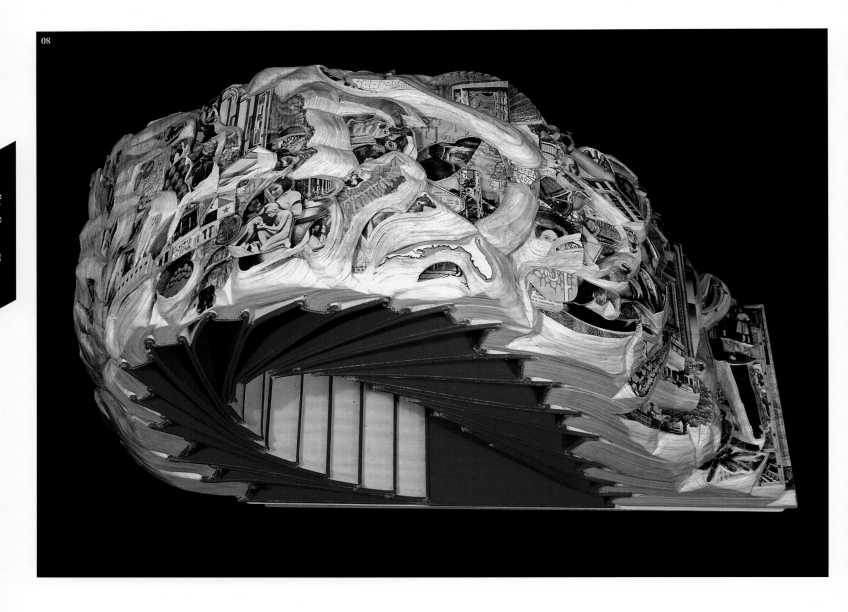

déplacement, ni coloration, ni ajout d'élément ; seul le retrait est autorisé. Ce qui l'intéresse actuellement est d'accentuer la qualité sculpturale de ses constructions. Comme il l'explique : « Image et texte dictent toujours le processus, mais les formes initiales deviennent plus complexes, et les résonances sculpturales du contenu sont aussi importantes que le contenu lui-même parce qu'elles révèlent la structure et l'architecture interne des formes. »

À l'évidence, les bibliophiles abordent le travail de Dettmer avec appréhension. Le prix de ces magnifiques sculptures est la mort d'un livre, mais, dans le même temps, ce dernier devient un nouvel objet précieux. Plutôt que d'intervenir comme un archiviste, Dettmer a suggéré qu'il était peut-être un anti-archiviste, qui redéfinit, manipule et déforme les livres. S'il recycle des matériaux, il recycle aussi leur sens : « J'aime l'idée que je prends une notion ou un

récit concret pour le démonter en fragments, expériences ou éléments singuliers, et que les spectateurs peuvent approcher l'œuvre et y appliquer leurs propres idées et interprétations. Ils sont libres de reconstruire les fragments sur le plan conceptuel ou d'appréhender l'ensemble comme une sculpture. Parfois, de petites histoires et connexions émergent. De cette façon, le contenu revient à son point de départ et l'observateur devient participant. »

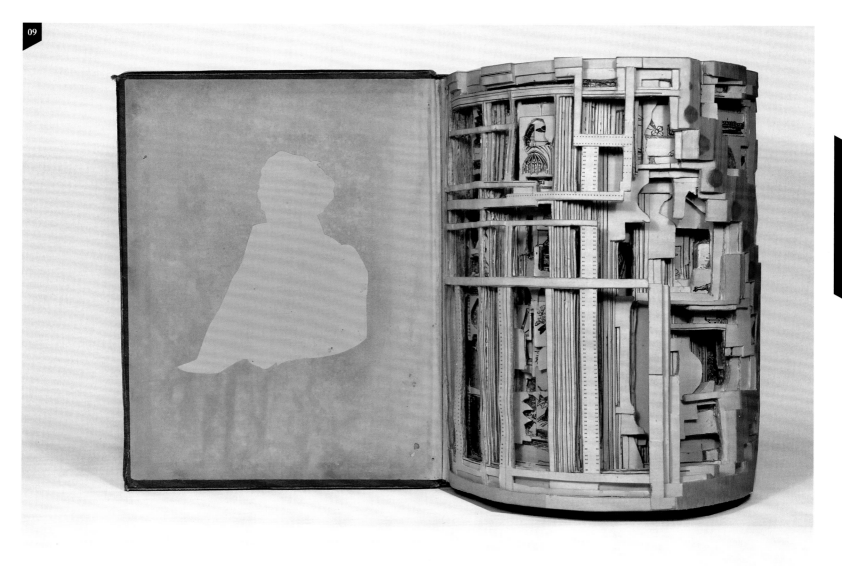

08 *World Series* (« Série Monde »), livres altérés, 2009.
09 *Webster Withdrawn* (« Webster retiré »), livre altéré, 2010.

Elfo

Elfo est le pseudonyme d'Andrea Bonatti, artiste qui vit en Italie du Nord. S'il puise ses racines artistiques dans le graffiti, son œuvre contemporaine est plus étroitement liée à l'art conceptuel, à la performance artistique et au land art. Elle mériterait aussi le nom de street art, bien que ses créations occupent aussi bien les espaces urbains que ruraux. Ses juxtapositions d'éléments naturels et artificiels donnent le jour à des sculptures, installations, performances et textes en matériaux recyclés. L'ironie lui permet également d'aborder des sujets plus sérieux.

S'il a exposé dans des galeries conventionnelles, l'emplacement de ses œuvres est généralement le fruit du hasard : « Je ne sais pas ce que sera ma prochaine création, ni où elle sera conçue, explique-t-il. Je découvre les lieux suite à une série d'événements en chaîne et ce sont eux qui donnent naissance à l'idée de l'œuvre. » La rencontre inattendue avec une situation particulière ou une opportunité de photographie suggère le moyen d'expression ou la forme : sculpture, panneau, performance, tout ce qui peut constituer le bon « ingrédient » pour donner corps au récit visuel. Une fois l'œuvre consignée, elle est essentiellement diffusée sur le net de manière à demeurer librement accessible à tous.

Bon nombre des créations d'Elfo sont influencées par Marcel Duchamp. « Je suis le nouveau roi du ready-made », a-t-il déclaré dans une œuvre (Duchamp inventa cette expression pour décrire un objet de la vie quotidienne présenté comme de l'art). Aux yeux d'Elfo, l'art moderne dans son ensemble est la continuité du ready-made sans doute le plus célèbre de l'artiste français, *Fontaine* (1917). D'autres créations d'Elfo font référence à l'artiste belge René Magritte et à l'œuvre des surréalistes, qui cherchaient à libérer le potentiel créatif de l'inconscient via des pratiques telles que la juxtaposition irrationnelle d'images. Le cadre naturel et urbain est le terrain de jeu d'Elfo ; avec des interventions minimes, il parvient à manipuler une situation de manière à en offrir une lecture totalement différente, qu'il s'agisse de modifier un panneau de signalisation, de placer des tapis de fourrure au milieu d'une route ou d'écrire « Au secours, être vivant à l'intérieur » sur un bocal à poisson rouge.

L'œuvre d'Elfo est hautement éphémère. Des photographies sont le seul enregistrement de ses interventions. Dans *Packed Food for Vulture$* (« Nourriture empaquetée pour vautour$ »), exécuté à l'origine en 2008

01

01, 02 *Packed Food for Vulture$* (« Nourriture empaquetée pour vautour$ »), performance, 2010.

03 *Bonsai Liberation Front* (« Front de libération des bonsaïs »),
peinture sur mur. **04** *I Trust in Swedish Design* (« Je crois en le
design suédois »), peinture sur carton.

04

puis à nouveau en 2010, il s'est attaché à un arbre, enveloppé de la tête aux pieds de film alimentaire autour du tronc, comme dans un cocon humain. Avec les procédés les plus rudimentaires, il parvient à créer un contraste saisissant entre les matériaux naturels et ceux fabriqués par l'homme. Les spectateurs retiennent leur souffle à la vue de ce corps piégé, privé d'oxygène, et sont soulagés de le voir sortir, comme ressuscité.

Le titre de la performance provient d'un récit de Nihil, un ami d'Elfo, librement inspiré du mythe grec de Prométhée. La performance se penche sur des thèmes comme la création de l'humanité et notre place dans la nature, mais l'artiste préfère que d'autres interprétations restent possibles. Pour lui, toute œuvre doit garder une dimension ironique, car il désire que le public « réfléchisse avec le sourire, ou cesse de sourire après réflexion ».

Ron
Van der Ende

L'approche artistique du Néerlandais Ron Van der Ende est très pragmatique. Son œuvre s'inspire du quotidien et de la culture populaire. Néanmoins, si ses sujets sont apparemment triviaux, le traitement qu'il leur accorde ne l'est en rien. L'un de ses thèmes récurrents est la voiture, emblème prédominant des temps modernes, qu'il réinterprète sous la forme de bas-reliefs ingénieux en bois de récupération. Pour reprendre ses mots : « La voiture évoque notre individualité, tout en symbolisant une catastrophe écologique. » Il se réfère souvent à des photographies d'automobiles très anciennes envoyées à la décharge, qu'il déniche au format papier ou sur Internet. Attiré par l'allure et les couleurs des voitures en train de rouiller, il traduit leur corrosion naturelle dans le bois recyclé, qui possède ses propres imperfections et processus de dégradation.

Les premières sculptures de Van der Ende intégraient de nombreux matériaux, du bois à l'acier en passant par le plastique. Exécutées en trois dimensions, elles devaient avoir l'air aussi réaliste que possible. En conséquence, les spectateurs supposaient souvent que tous les composants avaient été achetés plutôt que fabriqués à la main. En réaction à cela, il a choisi de se contenter de bois recyclé, un matériau « imparfait, marqué par les traces d'une vie antérieure », qui lui permettait de « laisser sans risque libre cours à son perfectionnisme sans sortir de ce cadre visuel strict ». Avant qu'il ne s'intéresse aux voitures, ses sculptures en bois prenaient la forme de bateaux et de sous-marins. Mais après avoir passé deux mois à essayer de reproduire une Opel Kadett en bois, sa frustration face aux résultats était forte.

C'est alors qu'il eut une idée qui allait tout changer : pourquoi ne pas adopter une perspective tronquée ? Cela lui prendrait moins de temps, il pourrait mettre davantage à profit ses talents et obtenir un impact visuel plus fort. « C'était une période très intense, confie-t-il. Je travaillais fébrilement, je dormais à peine. J'avais l'impression – qui ne m'a plus quitté – d'avoir découvert un continent vierge. » Avec un projecteur aérien, quelques croquis et références photographiques, il a construit en trois semaines son premier bas-relief photo-réaliste de voiture. Il était relativement sommaire comparé à ses travaux précédents et ultérieurs, mais la distorsion de perspective produisait un effet vertigineux.

01, 02 L'atelier de l'artiste. 03 *727*, bas-relief en bois d'œuvre récupéré, 2008. 04 *Axonometric Array* (« Arrangement axonométrique »), bas-relief en bois d'œuvre récupéré, 2008.

Au verso 05 *Ørnen* (« L'Aigle »), bas-relief en bois d'œuvre récupéré, 2007. 06 *Grytviken* (« La Maison du pêcheur de baleine »), bas-relief en bois d'œuvre récupéré, 2007. 07, 08 L'atelier de l'artiste. 09 L'artiste au travail.

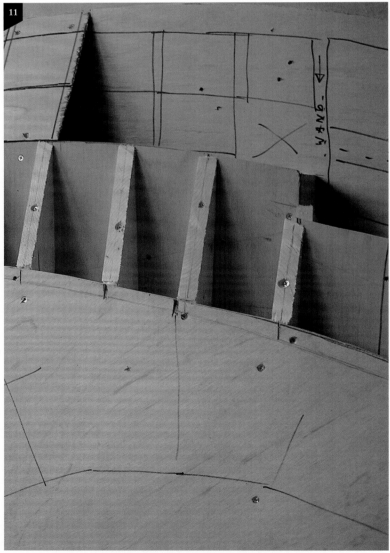

10 *Euromast*, bas-relief en bois d'œuvre récupéré, 2005.
11, 12 L'atelier de l'artiste. **13** Matériau de référence.
14 L'atelier de l'artiste.

Aujourd'hui, il continue à perfectionner son art, à expérimenter différentes échelles et perspectives dans chacune de ses œuvres. « En alliant taille et perspective, j'obtiens un poste d'observation inhérent. Celui-ci peut donner l'impression que l'observateur est très grand ou très petit, très proche ou très loin, voire qu'il vole haut dans les airs. Dans mes premiers bas-reliefs, j'ai voulu développer au maximum l'effet 3D de ces objets en choisissant une perspective qui donnerait à ce poste d'observation un positionnement très normal. Plus tard, j'ai découvert que je pouvais jouer avec cet élément. » Parmi les matériaux de Van der Ende, on trouve souvent de vieilles portes qu'il démonte complètement pour produire des couches de 3 mm appliquées comme une mosaïque. Au lieu de les repeindre, il tire profit des couleurs qui recouvrent déjà le bois.

Depuis, Van der Ende a étendu le champ de ses matériaux artificiels pour inclure des sujets de la nature ; il aborde la couleur davantage comme un peintre. À l'évidence, cet artiste aime ses techniques et ses matériaux. Les éléments recyclés choisis, explique-t-il, donnent des propriétés uniques à son œuvre. « Il est presque impossible d'atténuer les couleurs ou les tons. On ne peut pas appliquer de couleur sur un cylindre ou une forme conique. Je suis à la merci du matériau que je trouve ; il doit coopérer avec moi. C'est très gratifiant de voir l'objet prendre vie. Ce serait beaucoup plus difficile d'obtenir de tels résultats avec des matériaux manufacturés conçus pour être standard, neutres et sans caractère. »

15 *Silver Machine (Lotus Turbo Esprit 1983)* (« Machine
d'argent (Lotus Turbo Esprit 1983) »), bas-relief en bois
d'œuvre récupéré, 2007. **16** *Still Life* (« Nature morte »),
bas-relief en bois d'œuvre récupéré, 2010.

Faile

Inspiré par les textures burinées, les affiches déchirées et le processus de détérioration qui habite les rues, Faile, un duo d'artistes de Brooklyn, a une approche déconstructiviste de son art, attentive aux textures. Patrick Miller et Patrick McNeil ont commencé à développer leur vocabulaire visuel inimitable dans le street art il y a plus de dix ans. Ils mêlaient graphisme classique, typographie et jeux de mots dans des affiches énigmatiques reproduites par sérigraphie, et des pochoirs de collages. Placarder ainsi leur travail sur les murs de la ville leur permettait d'y introduire un autre langage graphique tiré des affiches, tags, panneaux de signalisation et de la nature chaotique des rues. Ces dernières années, parallèlement à l'enrichissement de leur langage visuel particulier, ils ont cherché à explorer dans des sculptures et installations des matériaux plus tactiles comme le bois.

Peu à peu, ils ont eu l'idée d'appliquer cette esthétique du montage à des œuvres tridimensionnelles. Les artistes s'étaient longtemps penchés sur la sérigraphie sur bois, souvent sur des boîtes puis sur des palettes récupérées. En 2008, Faile a installé sa première roue de prière *(Prayer Wheel)*, à Brooklyn, devant un public sans méfiance. Sculptée manuellement dans du bois de merbau et montée sur un support en acier, la roue, conçue pour tourner, présentait des dessins peints à la main issus de l'univers de Faile. Comme celles qui lui ont succédé, elle était construite pour supporter le contact des passants. En tant que sculptures, les roues étaient une façon élégante de donner du relief et un mouvement contemplatif aux dessins complexes et textes énigmatiques du collectif.

Plusieurs projets successifs les ont menés à approfondir leur travail sur des sculptures, installations et objets. En 2010, Faile a été invité à créer une œuvre ambitieuse, *Temple*, pour le festival Arte au Portugal. Elle comprenait une structure d'église à taille réelle dans le style du XVe siècle, en matériaux authentiques comme la pierre, la ferronnerie, les tuiles et les moulages. Si l'église en ruine, sur la Praça dos Restauradores de Lisbonne, semblait authentique au cœur de l'architecture d'époque, on pouvait distinguer de plus près des motifs et dessins de Faile, qui recouvraient la moindre surface. Pour une exposition ultérieure, *Deluxx Fluxx* (2010), à Londres puis à New York, ils ont à nouveau surpris le public en présentant leurs créations sous la forme de jeux d'arcade. Ces jeux, tout à fait opérationnels, proposaient une expérience

01 *Block Paintings* (« Peintures sur blocs ») en préparation, 2010. 02 *Prayer Wheels* (« Roues de prière ») en cours de construction, 2008. 03 L'atelier du collectif, 2010. 04 *Prayer Wheels* en cours de construction, peinture acrylique sur bois de merbau sculpté à la main monté sur un support en acier, 2008. *Au verso* 05 *Block Paintings* (détail), peinture et sérigraphie sur bois.

03

04

06, 07 *FAILE Tower* (« Tour FAILE »), peinture et sérigraphie sur bois, exposition *Bedtime Stories* (« Histoires du soir ») à la Perry Rubenstein Gallery, New York, États-Unis, 2010.
08 *Block Paintings* (« Peintures sur blocs ») (détail), peinture et sérigraphie sur bois.

interactive à partir d'une version numérisée de leur monde visuel, avec leur graphisme et leurs inventions emblématiques. De l'architecture de la Renaissance au rétrogaming des années 1980, le collectif, dans son exploration de nouveaux horizons, a montré son goût pour les défis et les projets minutieux.

Fin 2010, pour leur exposition *Bedtime Stories* (« Histoires du soir ») à la galerie new-yorkaise Perry Rubenstein, les deux artistes sont retournés au bois. Après avoir expérimenté avec de petites boîtes de puzzles, ils ont eu l'idée de travailler sur de nombreux blocs de bois qui, assemblés, offraient des créations à grande échelle. La fabrication d'édredons en patchwork américains traditionnels a manifestement influencé leur production de patchworks graphiques avec des blocs de bois.

Ces peintures sur bois nécessitaient une grande méticulosité. Les blocs étaient regroupés à plat, puis sur le dessus était imprimée par sérigraphie une image complète, de manière à ce qu'une face de chaque bloc fasse partie d'un tout. Ils étaient ensuite retournés et l'on répétait le processus jusqu'à ce que toutes les faces soient couvertes de puzzles virtuels. Ainsi, Faile est revenu à sa philosophie première du couper-coller et a pu garder sa liberté dans la création d'images. Les possibilités qu'offraient le burinage des surfaces et la création de textures différentes en lavant, teintant, sablant et peignant les blocs, étaient en phase avec leur esthétique. Plus les blocs de tailles variées étaient nombreux, plus les combinaisons d'assemblage se multipliaient et engendraient de nouvelles compositions. De cette expérience sont nés des objets déconstruits, multifacettes, dotés d'une dimension artisanale empreinte de nostalgie, et qui, collectivement, offraient aux artistes un terrain de jeu graphique.

09, 10 *Prayer Wheels* (« Roues de prière »), peinture acrylique sur bois de merbau sculpté à la main monté sur support en acier, installations de rue, 2008. **11** *Prayer Wheel*, peinture acrylique sur bois de merbau sculpté à la main monté sur support en acier, exposition *Lost in Glimmering Shadows* (« Perdu dans des ombres scintillantes »), Lazarides, Londres, Royaume-Uni, 2008. **12** *Prayer Wheel*, peinture acrylique sur bois de merbau sculpté à la main monté sur support en acier, 2008.

Rosemarie Fiore

Le travail de l'artiste américaine Rosemarie Fiore est fascinant à bien des égards. Ses techniques originales et inventives produisent des pièces uniques qui combinent la force de sa propre imagination artistique et celle des éléments hors de son contrôle. Les résultats sont d'une beauté incomparable, porteurs d'un lyrisme seulement possible lorsque l'artiste renonce à la pleine autorité sur son œuvre pour laisser ses matériaux s'exprimer.

Fiore a obtenu sa licence à l'université de Virginie, à Charlottesville, puis sa maîtrise de beaux-arts à la School of the Art Institute de Chicago. Elle vit et travaille actuellement à New York. Sa pratique artistique a d'abord porté sur la sculpture cinétique, qui l'a convaincue qu'elle devait « supprimer la présence physique de la machine dans l'œuvre finie pour se concentrer sur ses actions ». Elle a passé de nombreux jours dans sa voiture à rouler au hasard, obsédée par cette idée et la question de sa mise en œuvre ; l'inspiration lui est finalement venue de la voiture elle-même. Elle a récupéré des déchets dus au frottement du moteur, créé des œuvres avec des chapes de pneus, et utilisé l'essuie-glace de la vitre arrière comme pinceau en remplissant son flacon de liquides variés puis en l'activant contre la vitre recouverte de papier.

D'autres recherches l'ont menée à tester l'une des techniques qui ont fait sa célébrité : créer des pièces colorées, pleines d'intensité, à l'aide de feux d'artifice allumés. « Le concept de mes "Dessins en feux d'artifice" m'est venu le 4 juillet 2002. J'étais en résidence à Roswell au Nouveau-Mexique, et j'avais apporté un assortiment de fusées de feux d'artifice. Une bombe fumigène bleue allumée m'a échappé des mains et a roulé sur le sol en ciment à l'extérieur de mon atelier. Dès que j'ai aperçu la ligne bleue en pointillés, j'ai pris de grandes feuilles et j'ai allumé des fusées au-dessus du papier. » Après de nombreuses répétitions volontaires de cet « accident », elle a eu l'idée de placer les fusées dans des tubes de carton au moment de l'explosion, puis de les attacher à des perches et à divers récipients (seaux, boîtes de conserve…). « Non seulement la décharge est inégale, mais la traînée de couleur est cahotique, irrégulière et difficile à orienter, raconte-t-elle. J'aime le côté maladroit de cette technique. Je suis forcée de me fier presque uniquement à mon intuition. Je contrôle de mon mieux la trace laissée par le pétard, sans perdre de vue que c'est un jeu d'équilibre entre le chaos et le contrôle, et qu'à trop vouloir maîtriser sa technique, on bâillonne sa créativité. »

01, 02, 03 L'artiste au travail sur la série *Firework Drawings* (« Dessins en feu d'artifice »), 2009.

01

04

05

Un autre projet, les *Scrambler Drawings* (« Dessins au Brouilleur »), incarne le rapport unique qu'entretient Fiore avec ses matériaux. Elle a assemblé des canettes de peinture et des compresseurs à air, qu'elle a ensuite fixés sous les sièges d'une attraction de fête foraine, le Scrambler (« Brouilleur »). Les motifs ainsi obtenus sont si complexes que, non sans ironie, ils semblent méthodiquement préparés. Elle était elle-même sur une grande roue lorsque les mouvements de la machine, semblables à ceux d'un spirographe, ont piqué sa curiosité et lui ont donné l'idée de les représenter visuellement. Aux yeux de Fiore, les objets qu'elle emploie dans ses œuvres méritent autant qu'elle les honneurs. Elle considère sa méthode comme une « conversation », une « collaboration, en quelque sorte » avec ses outils et matériaux. C'est son ouverture d'esprit qui lui permet de percevoir le potentiel de ces objets, tandis que son énergie, sa motivation et sa passion veillent à ce que la conversation ne s'interrompe jamais, mais évolue sans cesse dans de nouvelles directions. Elle le dit elle-même : « Je n'ai jamais fini d'explorer. Une idée me conduit à une autre idée. C'est très excitant, et parfois exaltant. Je dois me forcer à ralentir... C'est le plus difficile. »

08

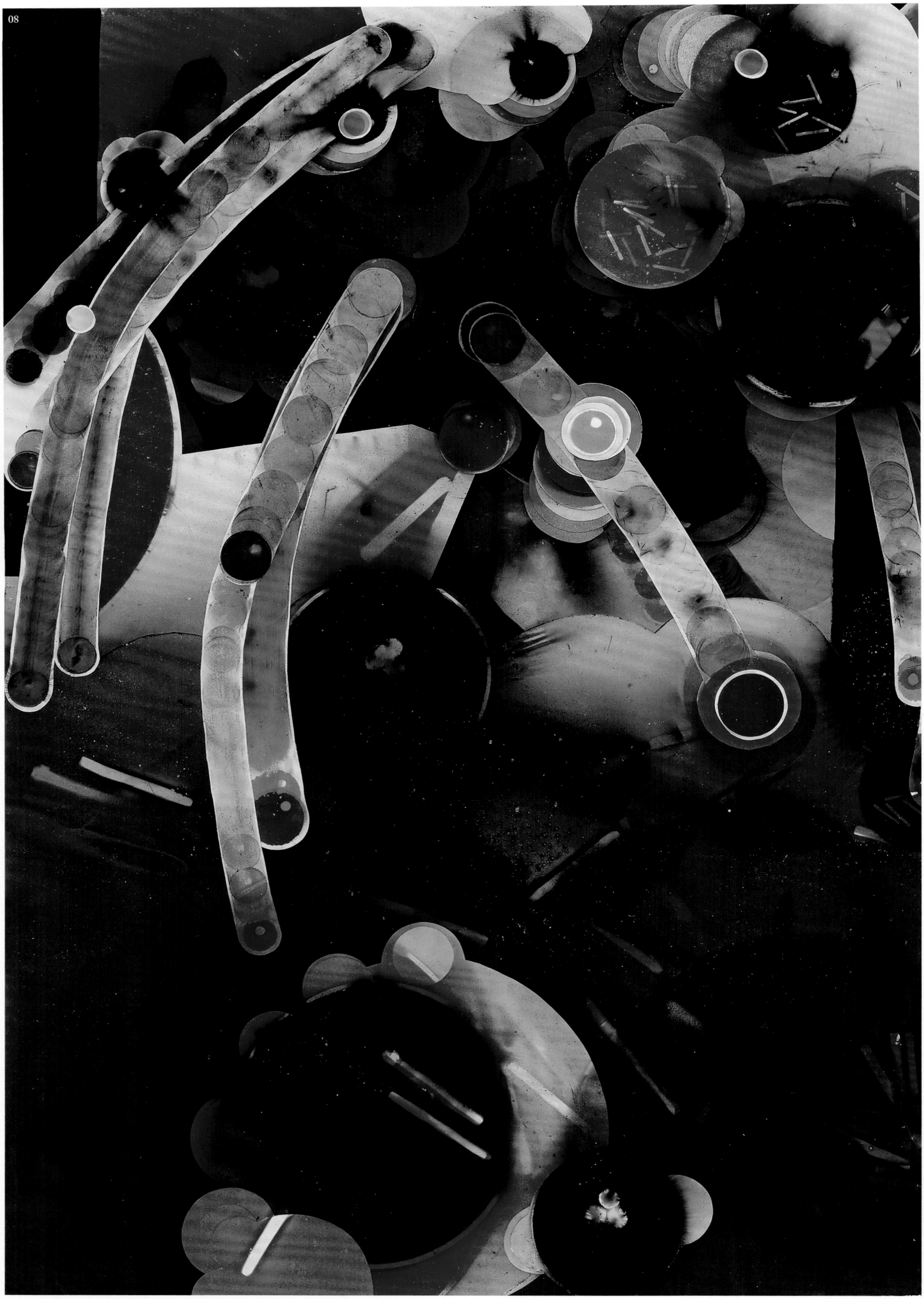

08 *Firework Drawing #25* (« Dessins en feu d'artifice n° 25 »),
résidus de feux d'artifice allumés sur papier, 2009. **09** *Good-Time Mix Machine* (« Mixeur de bon temps »), attraction
de fête foraine de la compagnie Eli Bridge (1964), groupe
électrogène, compresseur, seau, peinture acrylique sur vinyle
et caméra vidéo, série *Scrambler Drawings* (« Dessins au
Brouilleur »), vue d'ensemble de l'installation au Grand Arts,
Kansas City, États-Unis, 2004. **10** *Good-Time Mix Machine*,
peinture acrylique sur vinyle et projections vidéo, série
Scrambler Drawings, vue d'ensemble de l'installation au Queens
Museum of Art, New York, États-Unis, 2004. **11** *Good-Time
Mix Machine*, Grand Arts, Kansas City, États-Unis, 2004.
12 *Good-Time Mix Machine*, Queens Museum of Art,
New York, États-Unis, 2004.

AJ Fosik

AJ Fosik compare son travail à « ces jouets de construction en bois de balsa que l'on vend dans les boutiques des musées, portés à un niveau démentiel ». Chaque création est méticuleusement construite avec des centaines de morceaux de contreplaqué, façonnés, teints, vernis et peints l'un après l'autre pour donner à la création ses facettes multicolores. Leurs couleurs vives et poses évocatrices procurent à ces sublimes créatures et silhouettes autant de caractère et de vitalité que celles qui les ont inspirées dans le monde réel.

Fosik a grandi à Detroit où, dès son plus jeune âge, il s'est fait une place dans le milieu du graffiti. Il a déménagé à New York pour étudier l'illustration, période durant laquelle il s'est lancé dans la création en trois dimensions. « Nous fabriquions de complexes constructions en bois, explique-t-il, à mi-chemin entre un panneau de signalisation et une sculpture en matériaux de récupération, puis nous les plantions n'importe où. C'est le mariage de l'imagerie de la signalisation et de la construction qui m'a mené à ma pratique actuelle. En un sens, ce n'était pas un choix délibéré à l'origine : il s'est imposé à moi lorsqu'avec peu de moyens, j'ai dû créer une œuvre en vieux contreplaqué avec une scie à chantourner déglinguée. »

Bien qu'influencé par les arts du masque répandus au Mexique et à Bali, les totems américains ainsi que les mythes et divinités des peuples indigènes, Fosik veille à ce que ses pièces ne soient pas tant un hommage aux ancêtres mythiques qu'un moyen de stimuler la réflexion. Sa fascination réside dans « la nécessité d'avoir une idée qu'a un créateur, la dévotion envers elle, et les nombreuses manifestations de ce concept ». « Il y a quelque chose d'absurde dans l'énergie incroyable dépensée par les humains pour donner du sens à leur existence. Ils ne comprennent pas qu'ils font cela en vain : l'existence est une vertu en soi. Je fais partie de cette longue lignée d'arnaqueurs, sauf que je ne cache pas mon jeu. Mes "dieux" sont l'incertitude, le doute et l'absurde. Aujourd'hui, je me débats davantage avec les questions de la nature aléatoire, chaotique et arbitraire de l'existence. »

Fosik hésite à définir son œuvre comme de la sculpture, de peur d'évoquer l'image d'un artiste qui taille un bloc de pierre, alors que sa démarche est à l'opposé : il part d'une multitude de petits éléments, pour obtenir une forme unique. « J'aime que mes créations trahissent leur procédé de fabrication. Pour moi, il consiste à faire entrer la 2D dans la 3D.

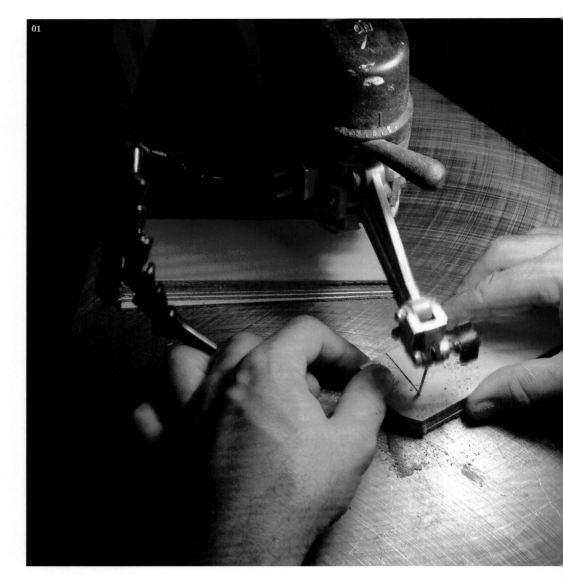

01 Des centaines de pièces de bois taillé sont utilisées dans la construction de chaque œuvre. 02, 03 Peinture et pochoirs dans l'atelier de l'artiste. 04 *Ursine Brawl* (« Rixe d'ours »), bois, peinture et clous.

03

04

J'ai aujourd'hui des outils plus performants et des matériaux de meilleure qualité, mais mes habitudes de travail n'ont pas changé : je pars d'une structure élémentaire pour la rendre complexe. » Ce processus est pour lui une « gestation », ses créatures prennent forme à partir d'un « squelette en bois cloué, recouvert de contreplaqué avec des vis en or pour les muscles et tendons, puis d'une couche de chair en bois. [Il finit] par la peau de la bête, en copeaux de contreplaqué Luan. »

La complexité formelle des créations de Fosik est impressionnante, un défi qu'il savoure manifestement. « Parvenir à me dépasser chaque jour, c'est un combat très gratifiant, et je suis persuadé que cela m'aide dans ma pratique, déclare-t-il. J'ai le sentiment que tous les artistes finissent par se retrouver coincés dans une boîte qu'ils créent eux-mêmes avec les problèmes qu'ils placent volontairement sur leur route. Avec un peu de chance, on finit par trouver sa boîte. » Et combien de temps lui faut-il pour produire ces incroyables idoles contemporaines ? « Cinq échardes dans chaque main environ. »

06 L'artiste présente l'une de ses créations, 2010.
07 *One Hundred Percent Savage* (« Cent pour cent sauvage »),
bois, peinture et clous, 2009. 08 *The Third Way Out*
(« La Troisième Issue »), bois, peinture et clous, 2009.

Fumakaka

Depuis 2000, le collectif d'artistes péruviens Fumakaka transforme des déchets en installations sculpturales en extérieur et en intérieur. S'il se voit avant tout comme un groupe d'amis qui s'amusent, son but est de créer des œuvres d'art qui prennent possession de la rue et interagissent avec le public. Ses membres, surnommés Ioke, Meki, Oso, Naf et Seimiek, et issus des univers du graphisme, de l'architecture et de l'anthropologie sont pour la plupart autodidactes dans le domaine des arts : « Le questionnement, l'exploration et l'échange d'idées nous aident à développer de nouvelles formes et techniques. D'après nous, la créativité n'appartient pas à une spécialité donnée, elle se situe à la croisée de différentes disciplines. »

Fumakaka est né à Lima d'une volonté commune de produire des peintures murales collaboratives, mais le collectif a vite compris que la peinture ne le comblerait pas : « Nous nous sommes donc tournés vers de nouvelles matières et techniques pour créer des sculptures, mécanismes, engins et vidéos. Notre but était de développer d'autres formes de communication, plus en lien avec la population. Finalement, nous en sommes venus à exposer dans la rue, là où tout avait commencé. » Pour le collectif, une œuvre est un jeu, où le processus compte plus que le résultat : « Comme nous travaillons sur des sujets que nous aimons, nous pouvons nous exprimer librement et tenter des expériences. Chaque projet est pour nous l'opportunité de nous attaquer à de nouveaux matériaux et de nouvelles formes, d'emprunter des chemins inédits et de faire évoluer notre groupe. Tout au long de ce processus, nous mêlons des symboles et des images sans cohérence, à l'instinct. L'urgence de communiquer quelque chose nous pousse souvent à garder pour la fin les explications et les réflexions sur notre démarche. »

Fumakaka déniche tous ses matériaux dans des lieux abandonnés et des décharges. La plupart sont déjà en miettes, chargés d'histoire et d'énergie ; les artistes font leur possible pour tenir compte de ces caractéristiques existantes. Peu à peu, le groupe a étendu sa pratique et intégré à ses sculptures le mouvement, le son et la lumière, dans la recherche d'une plus grande interaction avec le public. Qu'elles soient installées dans la rue, des lieux laissés à l'abandon, des parcs ou des musées, toutes leurs interventions sont libres d'accès, et la plupart interactives. Le collectif estime que si l'art permet de communiquer, il gagne en puissance et est alors plus accessible au grand public.

01, 02 *Monster* (« Monstre »), Lima, Pérou, 2011. 03 *Demolition Portal* (« Portail de démolition »), peinture, 2008. 04 *Devil* (« Diable »), matériaux récupérés, 2009. 05 *Presence in the House* (« Présence dans la maison »), matériaux récupérés, 2010.

06, 07 *Death Trash* (« Ordures de la mort »), installation en cours de construction (en haut) et achevée (en bas), matériaux de récupération, 2008. **08, 09** *Bastard Salvation* (« Le Salut des salauds »), installation en cours de construction (en haut) et achevée (en bas), matériaux de récupération, 2008.

Beaucoup de sculptures, installations et objets interactifs de Fumakaka prennent l'apparence de démons, crânes et monstres, et abordent certaines influences telles que le chamanisme, la magie et les rituels de la Santería, une religion d'Amérique latine. À travers ces figures terrifiantes et macabres, créées avec des objets recyclés et placées dans des lieux abandonnés, les artistes confrontent le spectateur au gâchis généré quotidiennement et aux réalités sinistres de la culture de l'hyperconsommation : « Ces visions, dans des décharges, des immeubles délabrés et des monceaux de déchets, révèlent les cadavres, fantômes et crânes cachés derrière les matériaux récupérés. Créer ces images est un exercice de composition, à travers lequel chaque œuvre prend vie pour nous raconter une histoire d'épouvante. »

Ces images horribles reflètent également l'histoire mouvementée de Lima, en particulier entre le début des années 1980 et le début des années 1990, lorsque conflits politiques internes, meurtres, enlèvements, blackouts et voitures piégées étaient le quotidien des Liméniens : « Même aujourd'hui, Lima et le Pérou dans son ensemble baignent dans une culture de la violence et du chaos qui a élu domicile dans notre quotidien. C'est la ville dans laquelle nous vivons, celle que nous aimons, celle qui inspire notre travail. »

Sayaka Kajita Ganz

La sculptrice japonaise Sayaka Kajita Ganz produit des sculptures organiques via le tissage de plastiques recyclés de forme étrange et d'autres objets de récupération. Elle avoue éprouver une étrange compassion pour ces matériaux, peut-être liée au shintoïsme, un ensemble de croyances et de traditions japonaises qui la fascinait enfant. D'après le shintoïsme, les objets et les organismes sont dotés d'esprits ; Ganz explique qu'on raconte aux enfants, avant même qu'ils soient en âge d'aller à l'école, que les objets qui sont jetés avant l'heure sanglotent la nuit dans la benne à ordures. Cette image et ses voyages à l'étranger, lorsqu'elle était plus âgée, ont fait naître chez elle un profond désir de collaboration harmonieuse entre les personnes et les objets liés à sa pratique.

Son inscription en zoologie à l'université de l'Indiana, à Bloomington, aux États-Unis, aurait pu l'entraîner sur une tout autre voie, si elle n'avait bifurqué vers les arts. Finalement spécialisée dans la gravure, elle a tout de même appris la soudure et s'est lancée dans la création d'animaux en ferraille. Sa passion pour la sculpture a peu à peu pris le pas sur ses autres pratiques, lorsqu'elle a compris que la gravure ne lui procurerait jamais l'exaltation qui était la sienne lorsqu'elle sculptait.

Si elle continue de travailler avec de la ferraille, ses travaux récents reposent principalement sur des plastiques usés, tels que des ustensiles de cuisine. En intégrant ces matériaux sous la forme d'une créature vivante figée dans son mouvement, elle espère que chaque objet transcendera ses origines. Les éléments de ses sculptures semblent flotter librement ; pourtant, ils sont construits sur une armature qui forme le squelette de l'animal. Pour les sculptures plus imposantes, cette structure est en acier soudé ; du matériau pour clôture, modelé et tordu, est utilisé pour les petites sculptures.

D'une certaine façon, la sculpture est toujours déterminée par ses composants, même s'il existe une multitude d'agencements possibles. Comme l'artiste le souligne, « la différence entre mouler ses propres formes et recourir à des formes préexistantes, c'est que, dans le premier cas, l'artiste agit, décide de ce que font les matériaux, tandis que dans le second, il réagit aux objets, à leur apparence et à leurs limites physiques ». « J'utilise des objets qui présentent des caractéristiques visuelles intéressantes, ajoute-t-elle. Une

01 *Japonica*, objets trouvés (principalement en plastique blanc), 2007.

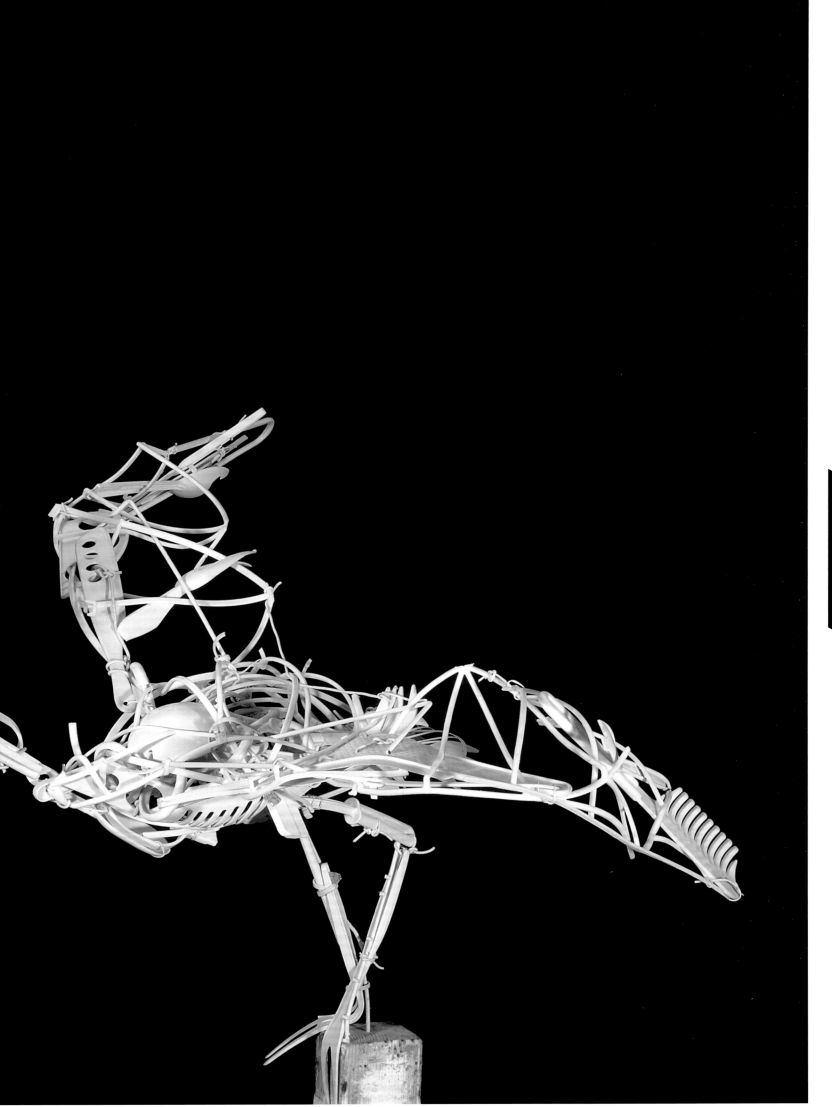

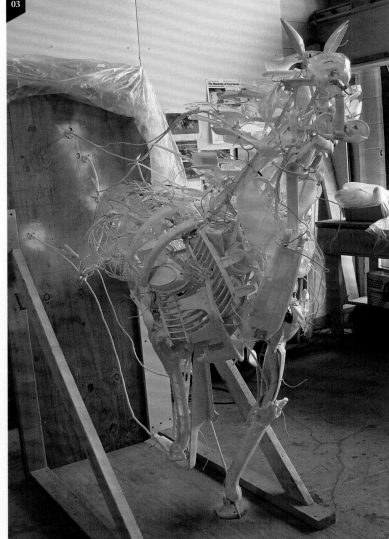

02 L'artiste au travail. **03** *Emergence (Wind)* (« Émergence (Vent) »), objets trouvés (principalement en plastique blanc et transparent), 2008. **04** *Emergence* (« Émergence »), 2008. Installation à deux éléments : *Night* (« Nuit »), objets trouvés (principalement en plastique noir et transparent) ; *Wind* (« Vent »), objets trouvés (principalement en plastique blanc et transparent).

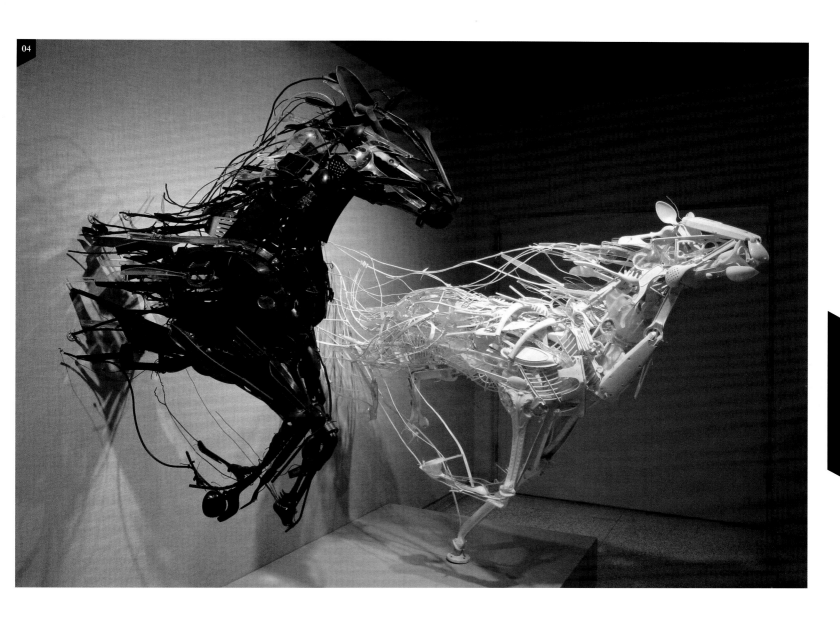

04

grande partie de mon processus consiste à trouver les matériaux. Je me rends dans des boutiques d'occasion, en quête d'objets qui "ont envie de devenir des animaux". Ces objets commencent à revêtir des qualités humaines, et je travaille avec eux comme avec des collaborateurs. »

C'est son travail sur de grandes sculptures, comme ses chevaux (*Emergence*, 2008), qui a modifié son approche des composants. « Mes chances étaient moins grandes de tomber par exemple sur un unique objet en plastique qui ressemblerait à une queue entière de cheval. En outre, mon intérêt pour la représentation du mouvement de l'animal l'a progressivement emporté sur sa représentation physique, c'est pourquoi les objets sont devenus davantage des indicateurs de direction d'un mouvement, comme de longs coups de pinceau qui créent une impression de vitesse. »

En construisant ces sculptures, Ganz essaie de comprendre les situations et relations humaines qui l'entourent. Elle aime penser que les objets qu'elle recycle ont des qualités humaines. Initialement, ils sont tous de forme et de taille différentes, et ont un passé individuel. « Lorsque je les intègre à une sculpture, explique-t-elle, j'ai l'impression d'essayer de convaincre un groupe de gens d'entreprendre une action commune. Certains sont terriblement raides et bornés, d'autres, flexibles et malléables. Dans certaines zones, les objets seront très rapprochés, dans d'autres, ils seront au contraire espacés. Si nous pouvons partager une vision, même si les détails présentent quelques disparités, nous avons les moyens de créer ensemble une œuvre magnifique. »

José Enrique
Porras Gómez

Le Mexicain José Enrique Porras Gómez repousse les limites de la gravure. Bien qu'expérimentale, son œuvre est enracinée dans les techniques et les artisanats traditionnels appris au fil d'une longue étude pratique. Après ses études en arts visuels à Mexico, il a été chargé de cours théoriques et de travaux dirigés en histoire de l'art. Cette expérience, accompagnée d'un profond désir d'élaborer son propre langage visuel, l'a incité à poursuivre ses études à l'Universidad Politécnica de Valence.

Une grande part de son expérimentation permanente porte sur le dessin et l'installation. Une œuvre récente, *Ola ganando espacio* (« Vague évoluant dans l'espace »), explore ces deux genres. Achevée en 2010, elle a été conçue durant les neuf mois que l'artiste a passé à Valence. Le titre renvoie notamment au processus de construction physique et mental occasionné par le projet. Au départ, Gómez voulait construire une petite vague dans le coin du studio qu'il louait. Progressivement, la structure s'est mise à dévorer l'espace, à prendre de plus en plus de place jusqu'à ce qu'il ne reste plus dans la pièce que le lit de l'artiste. « Cette vague, dit-il, s'est lentement répandue hors de mon cerveau, a enflé au point de combler l'espace réel. Mon travail a fini par m'encercler. »

Le processus de construction a été progressif. L'artiste a utilisé du bois trouvé en ville. La première étape a consisté à construire un socle pour l'installation, qui étirerait visuellement la surface de la vague et donnerait l'impression de marcher sur l'eau. Il a d'abord envisagé de travailler le bois de l'installation comme une gravure. « Je voulais utiliser la vague comme une matrice de 3D, explique-t-il, mais je me suis rendu compte que chaque planche avait déjà sa propre texture et une histoire particulière, j'ai donc décidé de reproduire le projet avec la technique du frottage [en reproduisant par frottement une surface irrégulière]. De cette façon, je pouvais préserver l'esprit graphique de mon travail. » Outre le frottage, l'artiste a consigné l'ensemble de la construction de la vague sous la forme d'une série de photographies. Le frottage était une référence directe à la *Grande Vague*, la célèbre gravure sur bois de l'artiste japonais du XIXe siècle Hokusai, une référence soulignée par la structure physique de l'installation de la vague une fois terminée.

01, 02 L'artiste au travail. **03** *Productos de exportación* (« Produits d'exportation »), cageots en bois gravés, 2008. **04** *Productos de exportación*, cageots en bois gravés et gravure sur bois, 2008.

07

05, 06 *Ola ganando espacio* (« Vague évoluant dans l'espace »)
en cours de construction, 2010. **07** *Ola ganando espacio*, bois,
clous et encre, 2010. **08** *Ola ganando espacio*, frottage sur papier,
2010.

08

Le bois a toujours intéressé Gómez en
raison de ses couleurs, textures et possibilités
de construction. À Valence, il a été surpris
par la quantité de bois abandonné ici et là et a
décidé de se réapproprier autant de ce matériau
que possible. Pour son projet *Productos de
exportación* (« Produits d'exportation »), il a
employé des cageots de bois pour s'attaquer
à la question controversée des migrants.
Ces cageots *(guacales)* servent en principe
à transporter des produits de l'agriculture,
comme des fruits et des légumes. Le projet
de Gómez a consisté à y sculpter des scènes
quotidiennes à la frontière mexicaine : des
migrants qui traversent la frontière et des
proches qui attendent le retour à la maison
d'êtres chers. Les images grandeur nature
avaient un impact visuel fort, en particulier
lorsqu'elles étaient exposées côte à côte, en
raison de leur aspect répétitif qui reflétait
la réalité de la vie.

Hiroyuki Hamada

Né au Japon, Hiroyuki Hamada vit aux États-Unis, où il crée d'impressionnantes sculptures mêlant des éléments organiques et industriels. Ses créations élégantes, aux lignes épurées et aux textures généreuses, rappellent des objets industriels érodés par les intempéries. Bien que minimalistes en termes de forme et de couleur, ils arborent une structure hautement complexe et une surface couverte de détails élaborés.

En raison d'un changement dans la carrière de son père, Hamada a quitté adolescent la banlieue de Tokyo pour la Virginie occidentale avec le reste de sa famille. Il a trouvé très stimulante cette adaptation à une culture et un langage radicalement différents. Il s'est initié aux arts à l'université et a été inspiré par les possibilités qu'offraient le trait, la forme, le ton et le contraste. Lentement, sa pratique est passée de la peinture à l'utilisation de toiles superposées, en trois dimensions, puis, finalement, à la sculpture.

Dans son atelier au cœur des forêts de Long Island, à New York, Hamada s'immerge dans des processus complexes et méthodiques. Des croquis, qui lui permettent de réfléchir au projet, constituent toujours son point de départ. Une fois qu'il a couché l'idée sur le papier et décidé des formes et échelles exactes, il fabrique une structure grossière en bois et mousse, qu'il affine. Il applique ensuite une enveloppe de plâtre sur une peau en toile d'emballage : il obtient ainsi la surface de sa sculpture. Lorsque le plâtre est sec, il traite la surface avec de l'huile et de l'émail pour teinter la création et lui donner des tons ocrés et différentes textures. La surface est ensuite décapée et percée de multiples façons pour obtenir des motifs et des effets de profondeur.

Comme l'explique Hamada, cette texture, semblable à de la peinture, est essentielle à l'œuvre finale : « Outre les récits visuels que nous livre déjà l'objet, les marques peuvent ajouter de manière frappante des dimensions historique, temporelle, écologique ou fonctionnelle. Le résultat, fait d'une superposition de nombreux messages visuels, peut être saisissant. Cette variante de l'improvisation est une approche adoptée par de nombreux peintres modernes qui découvrent le thème de leur création au fur et à mesure qu'ils déploient leur vocabulaire visuel. » Bien que ses sculptures impliquent une préparation, l'improvisation joue un rôle capital dans l'ensemble du processus : « Parfois, j'ai le sentiment de ne faire que creuser pour déterrer ces créations d'un endroit mystérieux. »

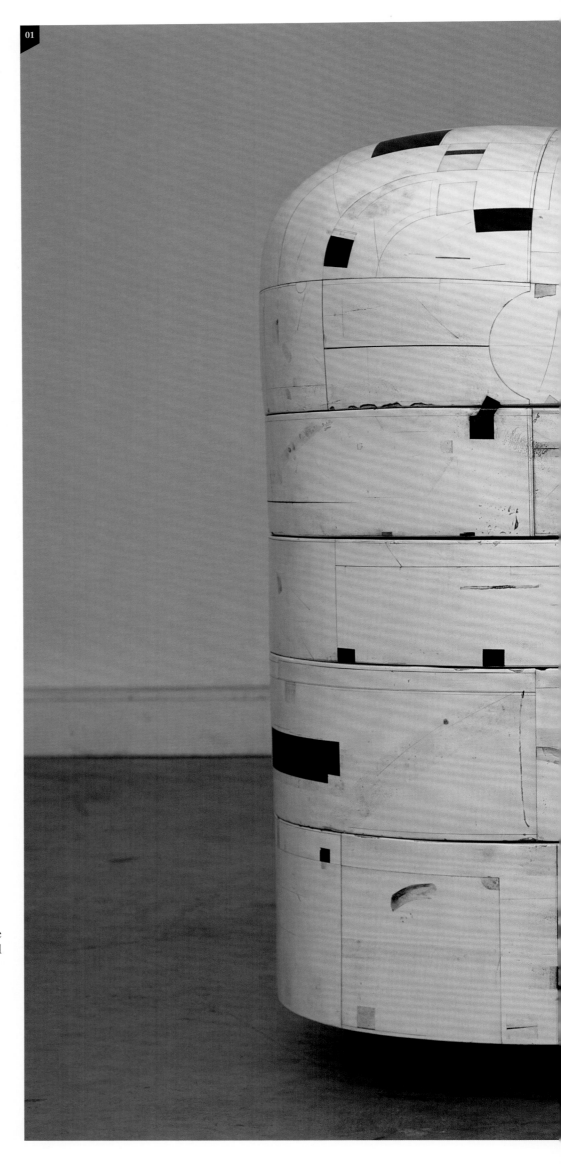

01 *#63*, toile de jute, émail, huile, plâtre, résine, goudron, cire et bois, 2006-2010.

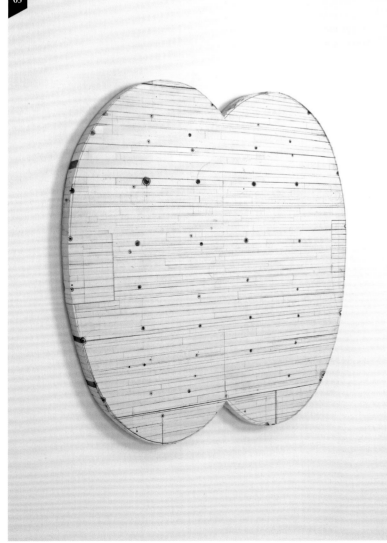

02 *#45*, toile de jute, émail, huile, plâtre, résine, solvants, goudron et cire, 2002-2005. **03** *#45* (détail). **04** *#47*, toile de jute, émail, huile, plâtre, résine, solvants, goudron et cire, 2002-2005. **05** *#35*, toile de jute, émail, huile, plâtre, goudron et cire, 1998-2001.

06 Une création en cours, composée de mousse, bois et toile de jute. **07** Travail en cours : une couche de plâtre est appliquée à la structure. **08** Matériaux en atelier. **09** Une création en cours, composée de mousse et de bois. **10, 11** Des perceuses électriques (à gauche) sont utilisées par l'artiste pour créer des textures (à droite).

Au verso **12** *#53*, émail, huile, plâtre, goudron et cire, 2005-2008. **13** *#59* (détail), émail, huile, plâtre, goudron et cire, 2005-2008. **14** *(À gauche) #52*, émail, huile, plâtre, goudron et cire, 2005-2008 ; *(à droite) #59*. **15** *#56*, émail, huile, plâtre, goudron et cire, 2005-2010.

Je n'ai d'autre choix que de me laisser aller à les admirer et à m'émerveiller tandis qu'elles se révèlent sous mes yeux. »

Si les sculptures de Hamada ne sont pas figuratives, il n'est pas rare qu'elles évoquent des formes particulières : des graines, des pierres polies sacrées, ou encore des fragments d'édifices et des composants mécaniques de vaisseau spatial ou d'avion. Bien qu'il s'inspire de nombreuses références visuelles – architecture, cinéma et art, entre autres –, une fois dans son atelier, elles se mêlent à l'essence de son projet en cours. Il décrit ce dernier comme « un étrange processus, qui consiste à capter quelque chose de terriblement insaisissable ». « Peut-être est-il comparable à la composition musicale. Je m'efforce de raconter des histoires visuelles en rassemblant divers éléments formels, à la manière des compositeurs qui associent des sons, un rythme, un timbre et ainsi de suite, pour donner naissance à de profondes expériences. »

Le but ultime de Hamada est de créer des structures indépendantes dont le mécanisme et la fonction ont une beauté, une intégrité et un mérite propres. Ces structures ne doivent pas exiger du spectateur qu'il détienne des connaissances préalables ; au contraire, il doit pouvoir les appréhender indépendamment les unes des autres, comme des objets à part entière.

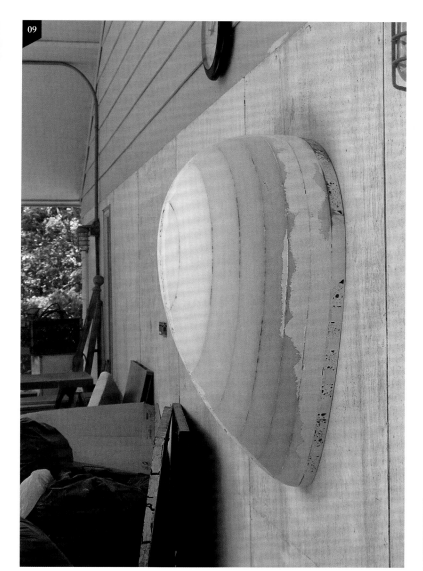

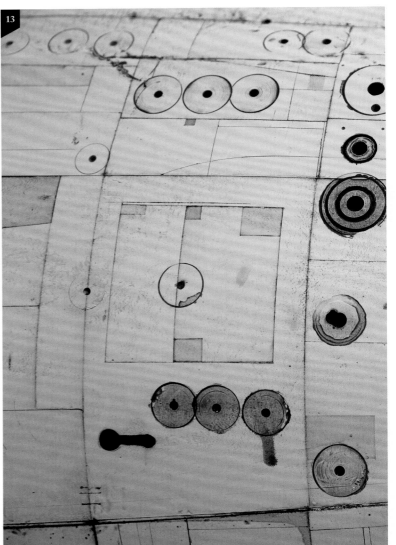

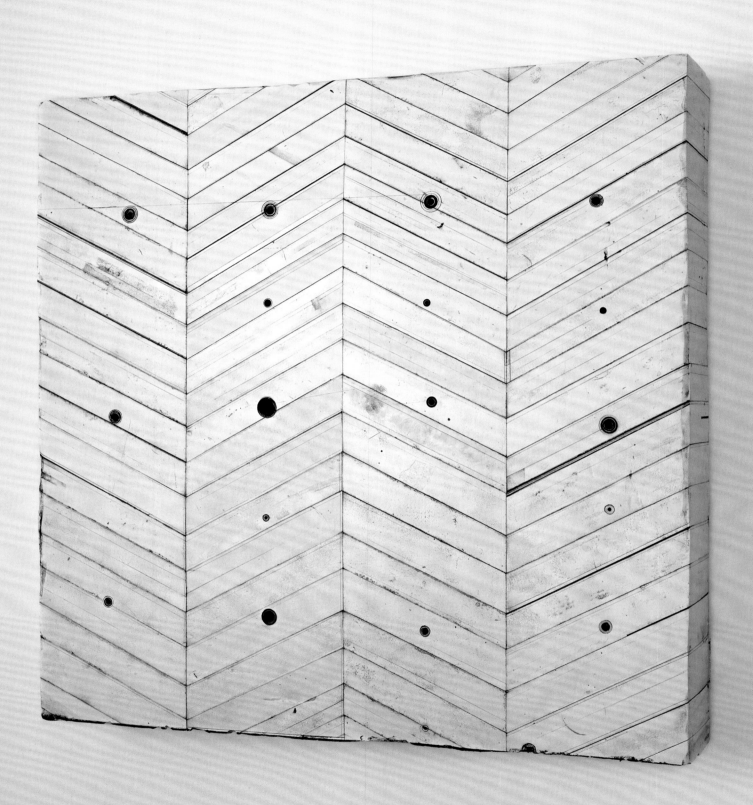

Haroshi

L'artiste Haroshi récupère au Japon des parties de skateboards usés ou mal entretenus pour les transformer en de nouveaux objets d'une rare beauté. Son choix de matériau lui vient de son profond respect pour la culture du skateboard et ses équipements. Passionné depuis qu'il a une dizaine d'années, il reste encore aujourd'hui fou de ce sport. « Je considère mes œuvres d'art comme une collaboration entre deux partenaires inutiles : les skateboards usés et moi-même, un skateur qui a toujours rêvé de passer pro, explique-t-il. En remaniant les skateboards inutilisables pour leur offrir une seconde vie, j'ai le sentiment de rendre hommage à ces skateurs qui pratiquaient leur sport sans relâche sur ces planches. »

C'est il y a environ dix ans qu'il a commencé à rassembler des fragments de skateboards, qu'il ne pouvait se résoudre à jeter. Leur recyclage et leur transformation en un objet nouveau semblaient être l'évolution naturelle de sa collection. Loin d'être un sculpteur de formation académique, ses premières œuvres étaient, pour reprendre ses mots, « vraiment hideuses ». Mais dans l'esprit d'un skateur qui apprend de nouvelles figures, il a persévéré et, avec l'aide d'amis, a appris la menuiserie et d'autres savoir-faire nécessaires pour créer à la main ses œuvres originales.

Un élément central des sculptures de Haroshi est sa technique de la mosaïque en bois. Pour déployer les propriétés tactiles des planches fines des skateboards, il les empile comme une superposition de strates, à l'aide d'un fixatif. Le matériau obtenu est coupé pour se voir attribuer une nouvelle forme, puis verni. L'étape de la superposition nécessite une grande habileté, car les planches ont différentes courbes ; mais grâce à ses connaissances encyclopédiques en matière de marques de skateboards, Haroshi trouve aisément l'association parfaite. Il est également très attentif aux bords extérieurs des planches et tire profit de leurs couleurs, qui demeurent à l'état brut, sans retouches. Ses créations sont souvent polies, bien qu'il lui arrive d'intégrer des planches cassées pour obtenir un contraste entre la silhouette lisse et les bords fendus.

La technique de la mosaïque de Haroshi est similaire à la construction japonaise traditionnelle des statues de bouddha en bois. Dans le Japon du XIIe siècle, un grand sculpteur, Unkei, plaçait un cristal à l'emplacement supposé du cœur de la statue, le Shin-gachi-rin (« nouveau cercle de lune »), qui représentait l'âme de Bouddha.

01 Skateboards usés, 2009. 02 L'atelier de l'artiste, 2009.
03 Sculptures *Apple* en cours de construction, 2009.

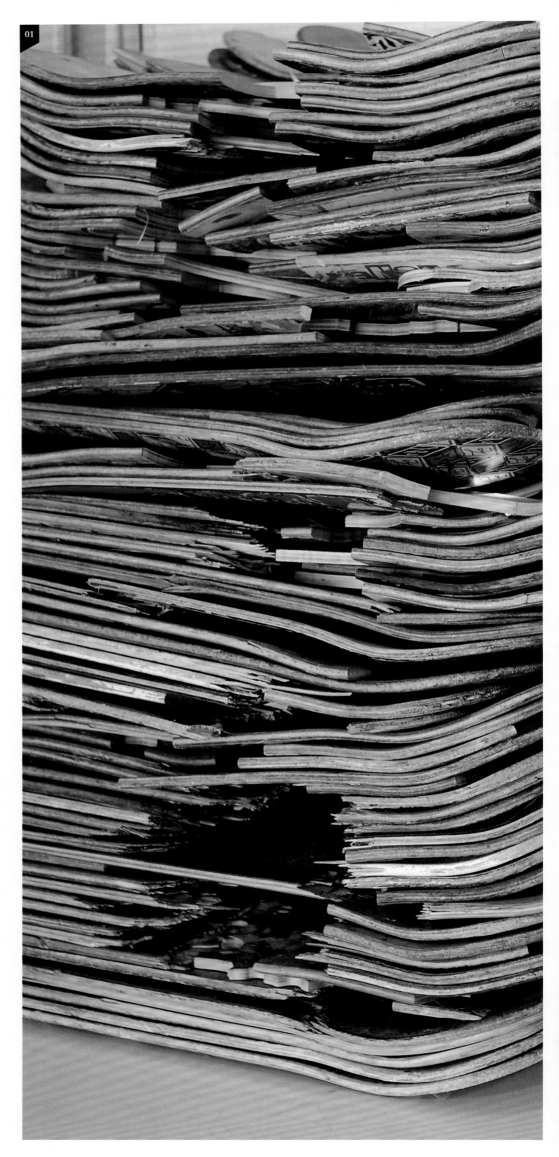

04 *Big Apple* (« Grosse Pomme »), skateboards usés, 2011.
05 *Fire Hydrant* (« Bouche d'incendie »), skateboards usés,
2011.

Haroshi s'en inspire : beaucoup de ses sculptures contiennent en effet un fragment métallique de skateboard caché entre les strates, qui « donne son âme » à la création. Si l'art de Haroshi fait écho au monde moderne, sa philosophie et ses méthodes de travail minutieuses partagent l'esprit des artisanats japonais traditionnels.

Nombre des thèmes de l'œuvre de Haroshi font directement référence au skateboard : mains et pieds cassés, bouches d'incendie (un accessoire emblématique, en particulier aux États-Unis) et bouteilles de bière Olde English, que l'on boit traditionnellement dans des sacs en papier brun. Bien que ces deux derniers exemples soient des objets étrangers que l'on ne trouve pas au Japon, l'artiste les associe symboliquement aux traditions de la scène internationale du skate. Un autre thème récurrent est la pomme, en hommage à la marque Apple. Un jour, après une overdose d'ordinateur, Haroshi a décidé de fabriquer le logo Apple en trois dimensions avec des planches cassées, symbolisant ainsi le réel par opposition au monde numérique.

06 *Screaming my Foot* (« Mon pied me fait hurler »),
skateboards usés, 2010. **07** *Screaming my Hand* (« Ma main
me fait hurler »), skateboards usés, 2010.

Valerie Hegarty

Le processus de création peut être appréhendé comme un cycle de renouvellement, tout objet ayant une durée de vie naturelle qui s'étend de sa naissance à son déclin. L'artiste new-yorkaise Valerie Hegarty s'interroge sur cette notion de cycle et notamment sur ce qu'elle décrit comme l'« énergie de transformation dans la destruction ». « Les objets doivent se casser pour que leur régénération puisse se produire », explique-t-elle. Nous pouvons essayer de protéger les biens qui nous sont précieux des ravages inéluctables du temps, mais même nos affaires les plus chères sont à leur merci. Hegarty crée un art déjà vieilli, brûlé ou brisé, et engendre ainsi une représentation plus exacte du monde, qui reflète la réalité des forces sociétales, culturelles, politiques et naturelles.

Ces dernières années, Hegarty s'est vouée à reproduire et à détruire partiellement des peintures américaines emblématiques d'artistes tels que Mark Rothko ou le peintre paysagiste Albert Bierstadt. Les œuvres qui en ont résulté, à l'instar de *Bierstadt with Holes* (« Bierstadt avec trous ») (2007), présentent un objet arraché et déchiré, dont quelques fragments jonchent le sol. Ces œuvres sont à l'opposé de ce que l'on s'attend à voir dans une galerie ; pourtant, une certaine beauté réside dans l'effet obtenu, et le processus fascine. Dans un entretien récent, l'artiste remarquait : « Les gens semblent vraiment réagir à l'agression, à l'énergie et à la détermination trahie par l'acte de briser ou de brûler des objets. Ce type d'énergie a un certain pouvoir d'attraction, il choque ou surprend, peut-être est-il en phase avec l'émotion qui s'empare du monde actuellement. Mes œuvres sont fractales, brisées, mais prêtes à prendre forme comme un cristal. »

Dans l'œuvre de Hegarty, des racines et des branches entremêlées, desséchées, qui semblent fusionner avec les cadres et les châssis de toiles détruites, sont un motif récurrent et évocateur. L'effet est obsédant et macabre, il nous rappelle que les biens que nous chérissons le plus nous sont seulement prêtés temporairement avant d'être détruits et rendus à la nature. Plutôt que de voir apparaître de nouveaux bourgeons, les branches et racines entrelacées subissent le processus de la régénération. Aux yeux de l'artiste, la nature triomphe par son pouvoir de renouvellement et son évolution permanente, qui donnent naissance à de nouveaux possibles. Ce potentiel est particulièrement visible dans la destruction de la nature, où l'on peut trouver les graines d'une transformation et

01 *Autumn on the Hudson Valley with Branches* (« Automne sur l'Hudson avec branches »), fibre de verre, tringle en aluminium, résine époxy, contreplaqué traité, vinyle, peinture acrylique et feuilles artificielles, 2009.

02 *Cracked Canyon* (« Canyon lézardé »), structure en mousse,
papier, peinture, bois, colle et gel, 2007. 03 *Rothko Sunset*
(« Coucher de soleil sur Rothko »), structure en mousse, toile,
papier, peinture, colle, fil de fer, ruban adhésif, sable et gel,
2007. 04 *Pollock's Flying Carpet* (« Tapis volant de Pollock »),
papier, colle, ruban adhésif et peinture, 2010.

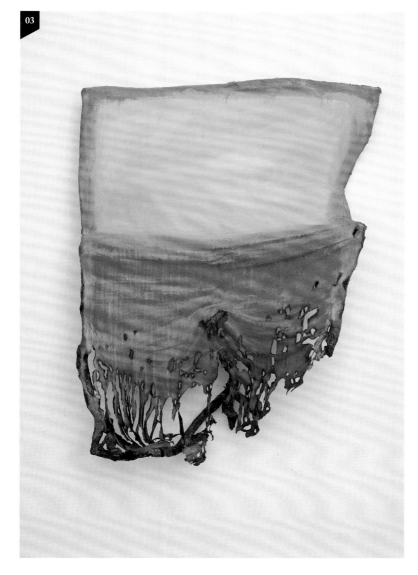

d'une nouvelle vie. Les procédés de Hegarty simulent des forces destructrices afin d'engendrer de nouveaux objets ou peintures.

Hegarty part de cette idée pour jouer avec le concept de connexion entre la peinture d'un paysage et la terre elle-même, de telle sorte que l'œuvre devienne visuellement un élément du paysage. *Unearthed* (« Déterré ») (2008), où elle combine le bord supérieur d'un cadre doré à des racines, paraît arraché du sol. À son propos, elle déclare : « J'aime cette idée de peinture qui surgit de la nature, dans la lignée des débuts de la peinture paysagiste américaine, à l'époque où l'Amérique se débattait avec la conception de son identité nationale et où les artistes

essayaient de donner à voir la présence divine dans les paysages américains imprégnés de spiritualité. On laissait entendre que les peintures représentaient au cœur de la nature ces vérités qui, en réalité, mettaient en évidence des intentions culturelles et politiques. Je me suis donc demandé comment une peinture pouvait littéralement naître de la nature. »

Si bon nombre des œuvres de Hegarty sont exposées dans des espaces neutres de galeries, elle a signé dans un jardin public une œuvre d'art qui tient compte des spécificités du site. *Autumn on the Hudson Valley with Branches* (« Automne sur l'Hudson avec branches ») (2009), exposé au High Line Park de New

York en 2009 et 2010, reprend l'idée d'une peinture paysagiste qui devient elle-même paysage. Hegarty est partie d'*Autumn on the Hudson River* (1860) de Jasper Francis Cropsey, une représentation d'un paysage de la région à une époque plus romantique où la nature était encore préservée. Elle a déchiré la toile pour exposer le châssis, qu'elle a retourné et transformé en branches. Pour reprendre ses termes, son œuvre donne l'illusion « d'une nature devenue artiste, qui transforme l'image idéalisée de la contrée sauvage qu'était l'Amérique d'autrefois pour offrir une représentation à plusieurs niveaux du lieu et de notre époque actuels ».

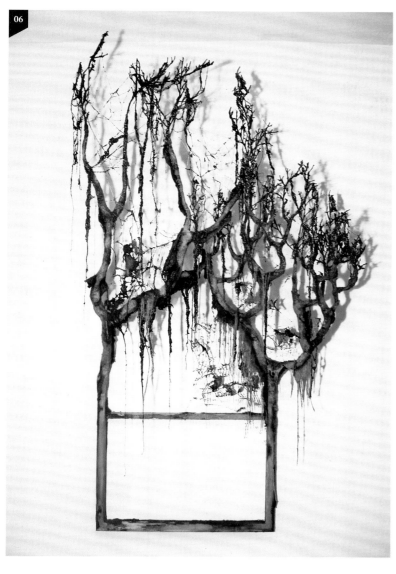

05 *Unearthed* (« Déterré »), bois et techniques mixtes, 2008.
06 *Cathedral* (« Cathédrale »), bois, fil de fer pour armature,
grillage, Magic Sculp, papier mâché, plastique, toile, colle à
bois, gel, fil et sable, 2010. **07** *Bierstadt with Holes* (« Bierstadt
avec trous »), structure en mousse, papier, peinture, bois, colle,
gel et plexiglas, 2007. **08** *(À gauche) Bierstadt with Holes*; *(à
droite) Chest of Drawers (Early American) with Woodpecker*
(« Commode (début du XIXe siècle) avec pic »), structure
en mousse, papier, peinture, bois, colle, gel et sciure, 2007.

Luiz Hermano

Il fut un temps où nous nous en remettions aux conteurs pour expliquer la création du cosmos et de ses créatures. Les artistes donnaient vie à ces visions. Les scientifiques ont depuis remplacé les conteurs, et l'artiste brésilien Luiz Hermano semble déterminé à introduire la science dans le royaume de l'art. Ses constructions entrelacent des motifs évoquant la nature, du système solaire aux atomes, des amibes à l'homme. Ce dernier étant à la fois un être de culture et de nature, la culture moderne peut trouver sa place dans le projet d'Hermano. Outre sa production prolifique de dessins, gravures et peintures, Hermano est surtout connu pour ses créations en trois dimensions où se mêlent l'ancien et le nouveau, des techniques artisanales traditionnelles et des matériaux inattendus, pour créer des formes inédites.

Né en 1954 à Preaoca, dans l'État du Ceará dans le nord-est du Brésil, Hermano a grandi en regardant sa mère faire glisser les perles de son chapelet entre ses doigts. L'image est restée gravée dans sa mémoire, à tel point que son œuvre abonde d'allusions à ce geste. Initié aux artisanats locaux tels que la vannerie et la fabrication de masques de carnaval, il a compris la capacité de l'artisan à métamorphoser n'importe quel matériau. Jeune homme, il a étudié la gravure auprès de Carlos Martins et a découvert la vie métropolitaine à Rio de Janeiro. En 1979, il a déménagé à São Paulo, où son travail a commencé à être régulièrement exposé. Il s'est bientôt fait remarquer hors du Brésil. La Galerie Debret, à Paris, lui a consacré une exposition monographique en 1984, suivie par le Brazilian-American Cultural Institute de Washington en 1987. De plus en plus sollicité à travers le monde, Hermano a eu l'occasion de contempler les œuvres des artistes européens. Dans un esprit d'innovation permanente, il a inventé les « sculptures à porter » en 1994. Ce concept, parmi tant d'autres, a été exposé à l'occasion de ses fréquentes expositions au Brésil dans les années 1990 et 2000, et d'expositions occasionnelles en Allemagne.

Hermano recycle les déchets de la vie moderne : il se sert de vieux condensateurs, reliés ensemble sur des câbles comme des perles – un autre de ses matériaux. En emmagasinant l'énergie, les condensateurs permettent de modifier le motif de signaux électriques à travers un courant. Hermano délivre ainsi un calembour visuel. Il démonte la technologie, essentielle et pourtant si méconnue, et nous dévoile l'élégance du concept. Ses chaînes de produits en série,

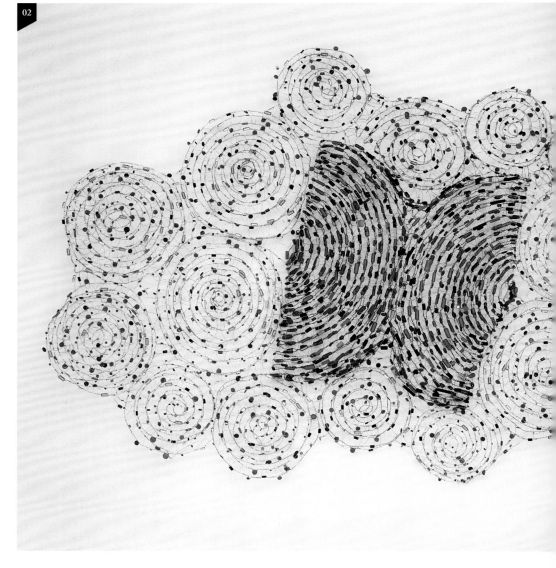

01 L'artiste au travail. 02 *Tikal*, condensateurs et fil de fer, 2007.
03 *Sadu*, composants électriques et fil de fer, 2006.

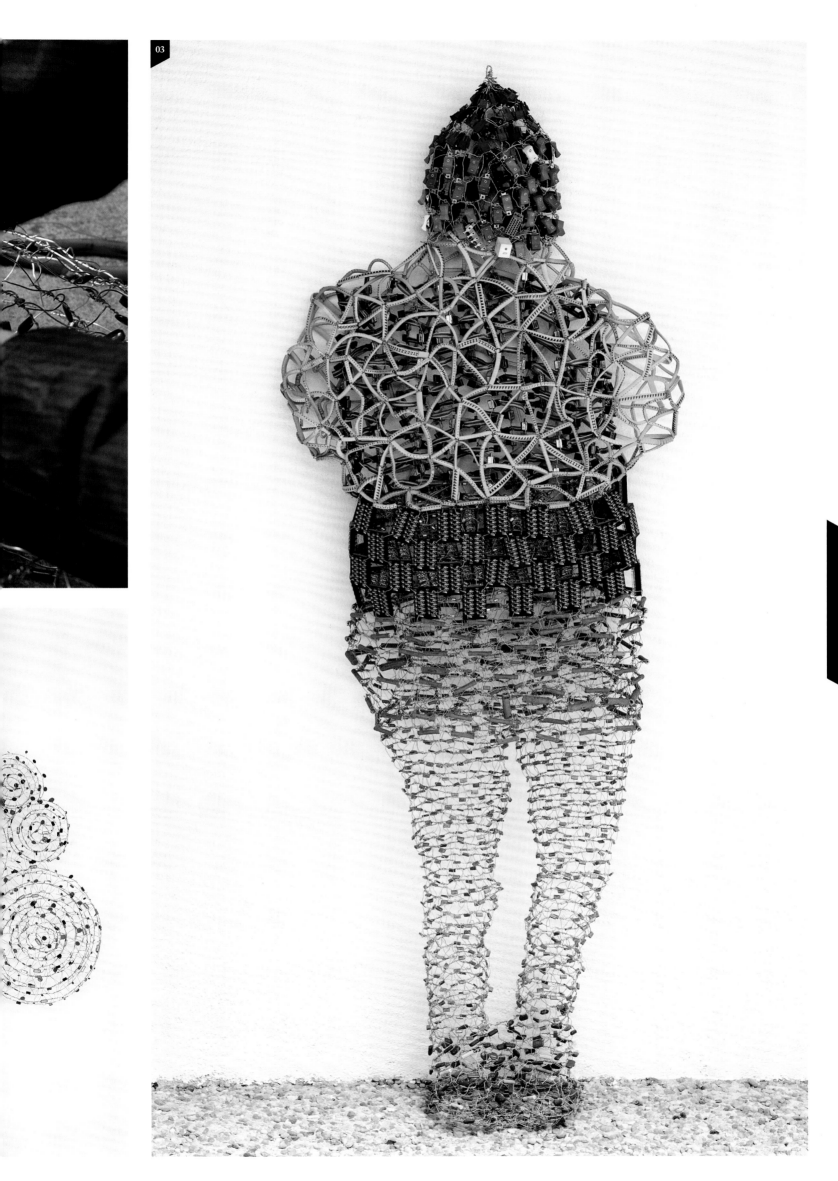

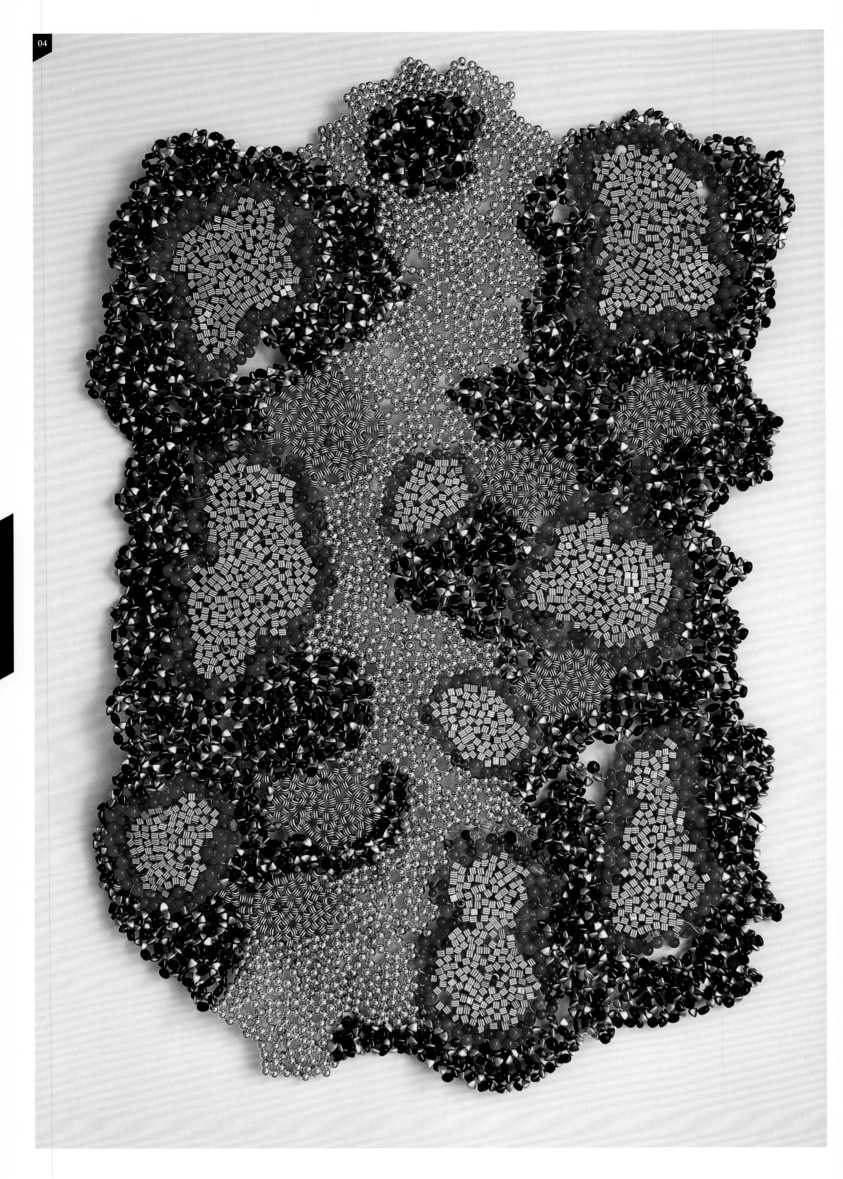

04 *África*, résine et fil de fer, 2010. 05 *Aterro Orgânico 3*
(« Décharge organique 3 »), résine et fil de fer, 2010.
06 *Angkor-Wat*, plastique et fil de fer, 2007.

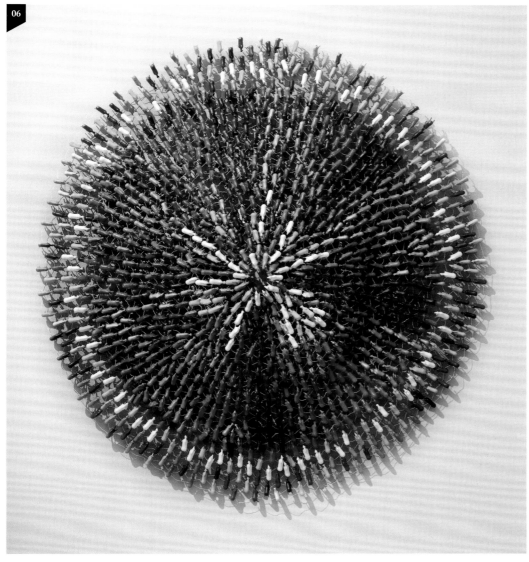

06

comme des jouets en plastique, sont autant
de commentaires sur la vie moderne.
La sculpture, dans son acception classique,
est une forme massive taillée dans un bloc de
pierre ou moulée dans du bronze, peu voire pas
du tout percée. Les constructions de Hermano
adoptent parfois des dimensions comparables,
mais leur concept est radicalement différent.
Il crée des volumes élaborés à partir de surfaces
poreuses, entrelacées et épaisses.

Cet artiste majeur semble s'intéresser
autant aux différences entre technologie
et biologie qu'à leurs points communs.
Ses formes rectangulaires et émoussées
font écho aux créations humaines, tandis
que beaucoup de ses motifs arrondis, en nid
d'abeille, évoquent celles de la nature.
Les condensateurs représentent peut-être une
énergie vivante, qui imprègne le cycle de la vie.

Plusieurs œuvres reposent sur l'assemblage
de jouets en plastique : animaux, lettres de
l'alphabet et autres, qui reflètent les méthodes
contemporaines employées pour expliquer
aux enfants le fonctionnement du monde.
Dans *Clínica* (« Clinique ») (2009), Hermano
regroupe ces références culturelles autour
des corps d'un homme et d'une femme
– leur squelette et organes sont apparents
comme dans un jeu pour enfants d'initiation
à la biologie. L'assemblage de ces différents
éléments nous dévoile l'impact de la nature et
de l'éducation dans la création de l'homme et
de la femme modernes. Les deux corps sont
les plus éloquents. Autrefois, ils auraient pu
être des soldats de plomb. Intégrés à cette
construction, ils évoquent davantage dans notre
imagination Spiderman ou des spationautes.

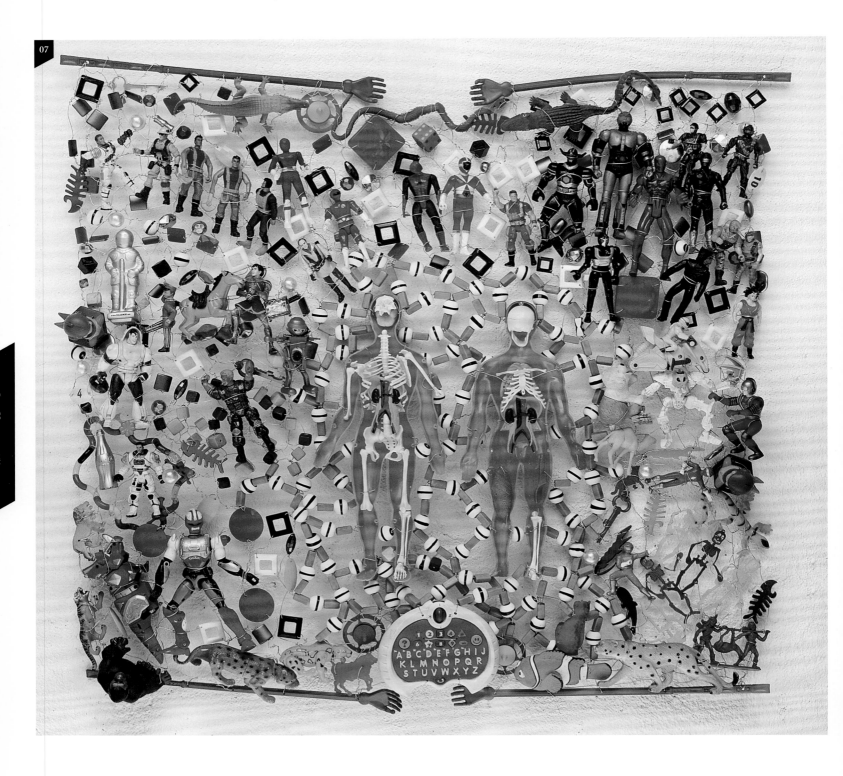

07 *Clínica* (« Clinique »), plastique et fil de fer, 2009.
08 *Pracinha* (« Petit Carré »), plastique et fil de fer, 2007.

Florentijn Hofman

L'artiste néerlandais Florentijn Hofman rend hommage aux icônes du monde animalier à travers d'imposantes sculptures dans des lieux publics. Colorées et ludiques, ses constructions massives dominent le voisinage et deviennent son point de convergence. Il aime consulter la communauté locale avant de laisser libre cours à son imagination, afin que l'œuvre finale parle aux noms des habitants ainsi qu'en celui de l'artiste. « Je crée des œuvres que les riverains adopteront, dont ils parleront à leurs amis, à leurs proches, dit-il. Ces gens sont fiers de leur quartier. »

Hofman a étudié l'art aux Pays-Bas avant de partir compléter son master à l'école supérieure des beaux-arts de Berlin-Weissensee, en Allemagne. De retour aux Pays-Bas en 2001, il a immédiatement marqué le paysage de son empreinte en laissant au pochoir plus d'une centaine de carpes koï dans un immense bassin à sec dans le nord d'Amsterdam. D'autres sites exigeaient de la 3D. En 2003, il a placé 210 moineaux en papier dans une serre des jardins botaniques d'Amsterdam. Sa première sculpture d'animal de grande taille, *The Giant of Vlaardingen* (« Le Géant de Vlaardingen ») (2002-2003) – un lapin en bois de récupération – a été exposée dans divers lieux, notamment au festival Robodock d'Ijsselmonde (Rotterdam). Quelques mois plus tard, le lapin a été suivi par *Max* (Leens, 2003), un berger allemand en cageots et palettes de bois, paille, corde, câbles et film étirable rouge. La sculpture animalière de grande taille demeure un élément incontournable de sa production, du *Lookout Rabbit* (« Lapin à l'affût ») (Nijmegen, 2011), un lapin géant en béton, sable, herbe, métal, bois, peinture et revêtement en ciment, à *Steelman* (« Homme d'acier ») (Amsterdam, 2011), un ours en béton avec un oreiller coincé sous sa patte avant.

Surtout connu pour ses sculptures animalières, l'artiste s'inspire néanmoins de nombreux sujets et utilise souvent la couleur pour attirer l'attention sur des éléments urbains qui passent inaperçus. Il a par exemple recouvert les pavés d'une rue de peinture à base d'émulsion de latex pour les transformer en briques jaunes – *Yellow Street* (« Rue jaune »), Schiedam, 2003 – et transformé un bâtiment désaffecté en monolithe bleu – *Beukelsblauw*, Rotterdam, 2004-2006 –, pour inciter les passants à regarder différemment leur environnement. Dans un autre projet emblématique – *Signpost 5*

01 *Max*, cageots de pommes de terre, palettes, bois, paille, corde, fil métallique et film étirable, Leens, Pays-Bas, 2003. 02 *Pig Juggling with Strawberries* (« Cochon jonglant avec des fraises »), bois, béton, tôle ondulée et peinture, Veghels Buiten, Pays-Bas, 2010. 03 *Lookout Rabbit* (« Lapin à l'affût ») (détail), béton, sable, herbe, métal, bois, peinture et revêtement en ciment, Nijmegen, Pays-Bas, 2011. 04 *Lookout Rabbit*.

Au verso 05, 06, 07, 08 *Signpost 5* (« Poteau indicateur 5 »), trois pianos à queue, bois et clous, île de Schiermonnikoog, Pays-Bas, 2006.

07

08

(« Poteau indicateur 5 ») 2006 –, il a construit trois pianos en bois démesurés et les a exposés sur une plage de l'île de Schiermonnikoog, comme si la marée les avait déposés là. Ils offraient un espace convivial où les habitants pouvaient observer la plage de leur île sous une lumière radicalement nouvelle.

Hofman ne craint pas d'expérimenter un vaste choix de matériaux : bois, métal ou béton récupérés. Beaucoup de ses installations sont si gigantesques qu'elles nécessitent des plans minutieux. Durant la phase de conception, il consulte des spécialistes et s'entoure souvent d'assistants. Par exemple, *Fat Monkey* (« Gros singe ») (São Paulo, 2010), un objet gonflable couvert de tongs, a été conçu avec le concours des étudiants du quartier. Les moineaux de papier exposés dans les jardins botaniques d'Amsterdam ont quant à eux été fabriqués à partir de photocopies d'un modèle réduit que l'artiste avait envoyées à des contacts dans le monde entier, chargés de le construire et de le lui retourner. Cette dimension participative distingue Hofman de ses collègues. Il apprécie l'interaction avec les habitants de ses lieux d'intervention. Qu'ils lui donnent un coup de main ou expriment leur opinion, leur participation contribue à l'élaboration du projet. Pour *Steelman*, les habitants avaient jugé qu'un ours géant était un symbole trop agressif pour leur quartier, c'est pourquoi l'artiste a adouci son image en lui faisant tenir un oreiller. Une bête féroce a ainsi été transformée en créature de conte pour enfants.

Dans des environnements habituellement dominés par l'homme, Hofman nous confronte à des créatures qui nous dépassent en taille et nous prennent par surprise. Qui s'attendrait à voir un gigantesque lapin jaune sur une place de centre-ville, ou un canard en caoutchouc gros comme une maison, flottant paisiblement sur un fleuve au pied de gratte-ciel ? Pour Hofman, le monde est une grande cour de récréation.

Michael Johansson

L'artiste suédois Michael Johansson cherche des matériaux inhabituels dans les marchés aux puces; il traque en particulier les « doubles d'objets apparemment uniques, pourtant souvent inutiles ». Ses sculptures compactes sont composées de piles d'objets courants, qu'il assemble et fixe ensemble de façon précise à la façon des pièces d'un puzzle. « Si j'intègre de vieux objets à mes créations, c'est principalement parce que leur passé m'intéresse, explique-t-il. Non seulement leur conception, mais aussi la façon dont ils ont été utilisés, dont ils portent des traces des décennies passées. Le fait de savoir que ces objets particuliers existent désormais en nombre limité rend plus improbable encore leur métamorphose, ensemble, au cœur d'un assemblage aussi précis. »

Dans les compositions de Johansson, la fonction de chaque objet est modifiée : les éléments sont principalement dépouillés de leur sens premier. L'artiste est intrigué par les coïncidences, par exemple lorsque les mêmes couleurs et motifs apparaissent sur deux objets très différents, ou que deux personnes habillées exactement de la même façon se croisent dans la rue. Il tient compte de ce type de détail dans l'organisation et la coordination des couleurs des objets assemblés. Il avait pour habitude de collecter des articles d'une même catégorie, mais, ces dernières années, il a étendu ses activités. Par exemple, il a assemblé un cube à partir d'objets liés à un lieu – un salon par exemple. « Cette concentration d'objets d'origines différentes sous la forme de la vision imaginaire d'une réalité tronquée interroge les notions d'histoire, de vie et d'espace, et leurs fonctions originelles sont soumises aux notions de couleur et de forme », explique-t-il.

Chez Johansson, le contexte d'un lieu spécifique détermine la mise en forme de l'œuvre, que ce soit dans le cadre d'un foyer, d'un musée ou en extérieur. Les dimensions et les caractéristiques physiques d'une œuvre sont souvent suggérées par les paramètres d'un composant dominant, qui détermine l'espace restant pour les autres objets. Lorsqu'il doit tenir compte des spécificités d'un lieu, Johansson récupère souvent des objets dans un endroit particulier, ou en rapport avec lui. De récentes expositions au Centre d'art contemporain Den Frie, à Copenhague, et au Musée archéologique de Bologne, toutes deux organisées en 2011, proposaient des créations entièrement composées d'objets trouvés dans les salles de stockage de ces deux sites. Dans tout projet, l'important pour lui est que « contexte et objets parlent le même langage ».

01 *Cake Lift* (« Pièce montée »), objets trouvés dans la salle de stockage de l'Århus Art Building, Århus Art Building, Århus, Danemark, 2009. **02, 03** *Rubiks Kurve* (« Rubik's Courbe », jeu de mots sur « Rubik's Cube »), objets divers, boîtes en métal et mur en bois, Svartlamon, Trondheim, Norvège, 2010.

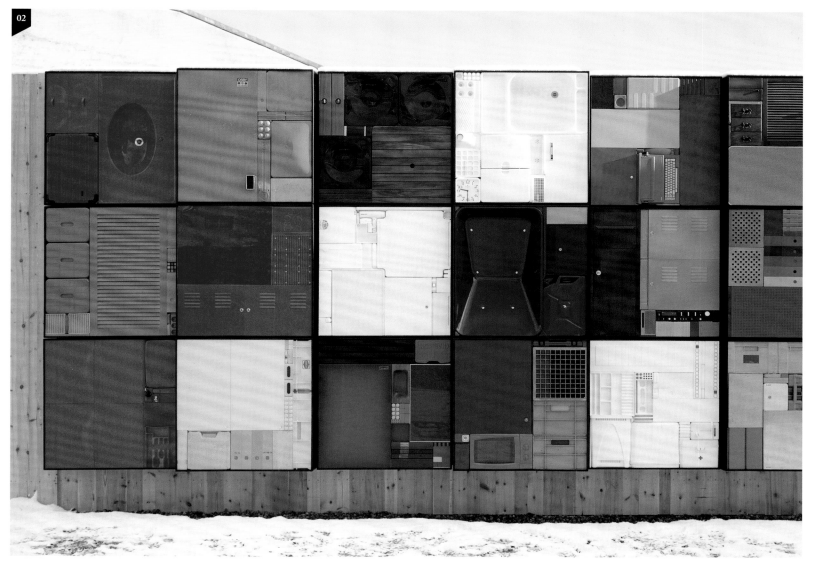

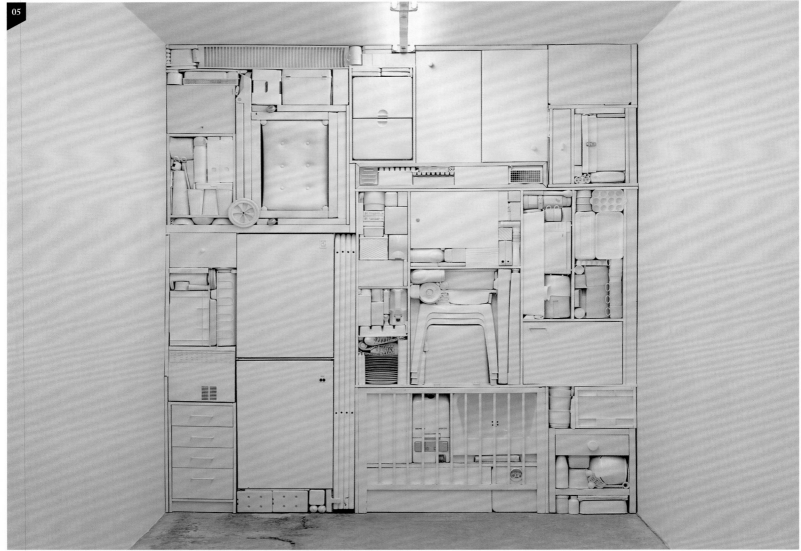

04 *Vi hade i alla fall tur med vädret* (« Au moins il fait beau »), matériaux divers dont caravane, glacières portatives, poches de glace, chaises longues, équipement de camping et bouteilles thermos, Bottna Kulturfestival, Gerlesborg, Suède, 2006. 05 *Ghost II* (« Fantôme II »), divers objets blancs, galerie Arnstedt – Östra Karup, Båstad, Suède, 2009. 06 *27 m³*, objets trouvés dans la salle de stockage du Bergen Art Museum, Bergen Art Museum, Bergen, Norvège, 2010. 07 *Green Piece* (« Pièce verte », jeu de mots sur « Greenpeace »), équipement d'extérieur vert, 2009.

D'après Johansson, « c'est la situation dans laquelle ils sont placés qui donne aux objets leur valeur ; en d'autres termes, ce qui définit la valeur d'un objet n'est pas le matériau qui le compose ni la fonction qu'il sert, mais sa position dans un contexte donné. Il peut arriver qu'un objet initialement sans valeur devienne inestimable en raison de son caractère unique, ou qu'un article produit en série soit considéré comme sans valeur presque aussitôt après l'achat. Mais il est également possible, en redéfinissant le cadre d'un article, de changer son contexte, et par conséquent sa valeur, pour la faire retomber à zéro. »

L'émerveillement et l'excitation qui sont les nôtres lorsque nous contemplons les créations de cet artiste proviennent notamment de sa présentation inhabituelle et surprenante d'objets familiers. « L'une des principales raisons pour lesquelles je pioche parmi des objets du quotidien, qui nous parlent à tous, est l'espoir que s'ouvre un dialogue avec le spectateur, que s'instaure un lien susceptible de mener à des débats dans un contexte plus large. Bien entendu, je me rends compte que chaque spectateur attache ses propres souvenirs à ces objets, leur donne un sens personnel, et qu'il y a donc fort à parier que son interprétation différera de la mienne, mais j'aime qu'on me fasse part d'un ressenti personnel vis-à-vis de mon travail. »

Michael Johansson 169

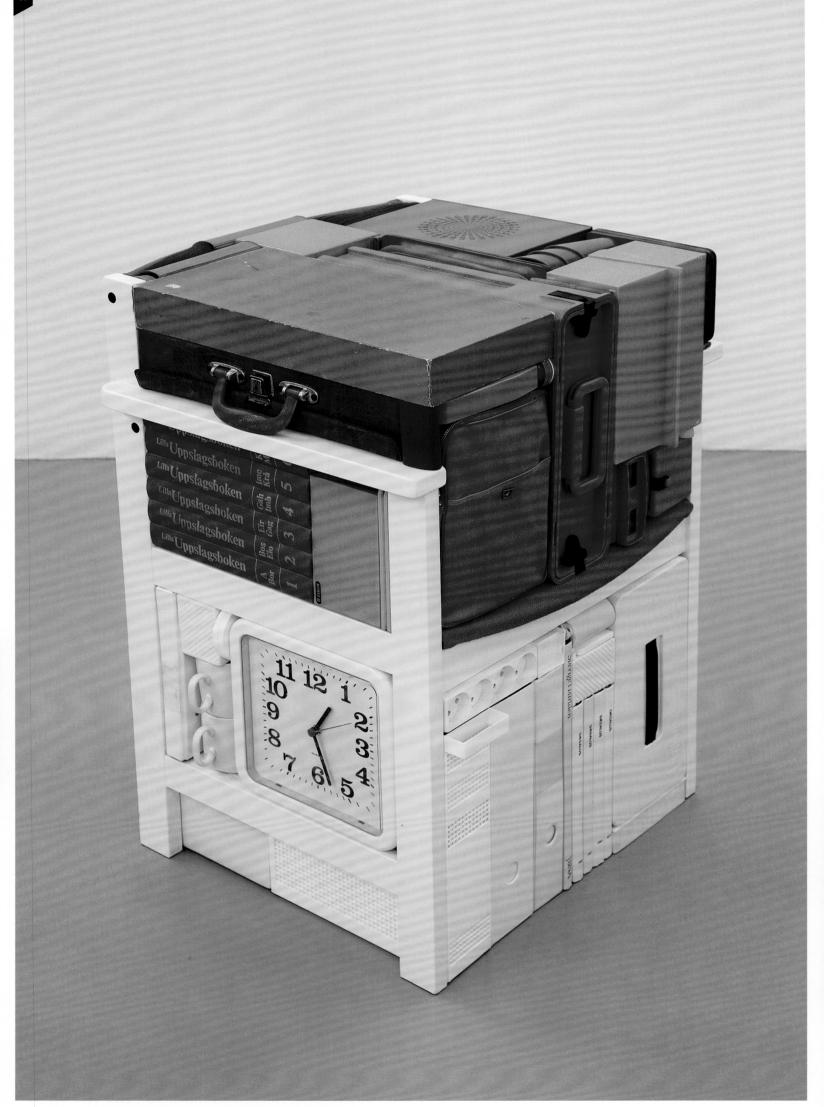

08 *Frusna Tillhörigheter* (« Effets personnels congelés »),
objets divers dont fauteuil, machine à écrire, livres, boîtes
et horloge, 2010. **09** *Domestic Kitchen Planning* (« Plan de
cuisine domestique »), tabouret et matériel de cuisine, 2010.
10 *Strövtåg i tid och rum* (« Flâneries dans le temps et
l'espace »), objets divers dont fauteuil, livres, sacs, boîtes,
radio et horloge, 2009.

Anouk Kruithof

Anouk Kruithof a une formation de photographe. Depuis l'obtention de son diplôme à l'académie St Joost à Breda en 2003, cette artiste néerlandaise partage son temps entre Rotterdam et Berlin. Si la photographie est son moyen d'expression privilégié, elle goûte aussi à la vidéo, aux installations, aux livres d'artiste, aux collages et aux créations *in situ*, socialement engagées. L'étude des états émotionnels et mentaux des individus, la manifestation de ces états dans les comportements et leur influence sur la société sont des thèmes récurrents de ses travaux.

De longue date, elle s'est intéressée à l'exploration des limites de la photographie en tant que moyen d'expression, notamment en l'associant à des installations et à de la performance artistique, ainsi qu'à travers la création de livres d'artiste et de journaux. Dans un entretien récent, elle explique : « À mes yeux, une photographie est rarement le résultat final. Je veux échapper au caractère autistique de cette discipline et repousser ses frontières. J'entretiens avec elle une relation d'amour-haine. L'installation semble être le moyen d'expression avec lequel je me sens le plus à l'aise, c'est pourquoi j'ai toujours fait des installations de photo. L'espace d'exposition, une publication, une page Web, un simple mur sont pour moi des "champs" où je veux créer un "ensemble", qui marquera physiquement et mentalement les spectateurs. »

Dans *Fragmented Entity* (« Entité fragmentée ») (2008-2011), un projet récent présenté à l'Art Rotterdam, elle fait une démonstration pertinente de sa dissection permanente de la photographie. Toutes les créations installées ont été conçues via un processus de recyclage de piles de tirages photo imprimés à la main, produits précédemment par l'artiste au cours d'une période de dix ans. Kruithof a découpé les parties reconnaissables des photos pour obtenir des tirages abstraits, dont elle s'est servi pour créer de nouveaux objets, vidéos et photographies. La photographie d'une pile de vieux tirages est devenue une affiche « à emporter », intitulée *Never-Ending Pile of a Past* (« Pile sans fin d'un passé »), dans une édition de 10 000 épreuves, empilées sur le sol de l'espace.

Dans ce projet, Kruithof prend le même cadre fixe, limite essentielle de la photographie, et le déploie spatialement selon plusieurs procédés. Certaines œuvres sont par exemple des collages constitués d'éléments de papier photo original et des photographies du collage

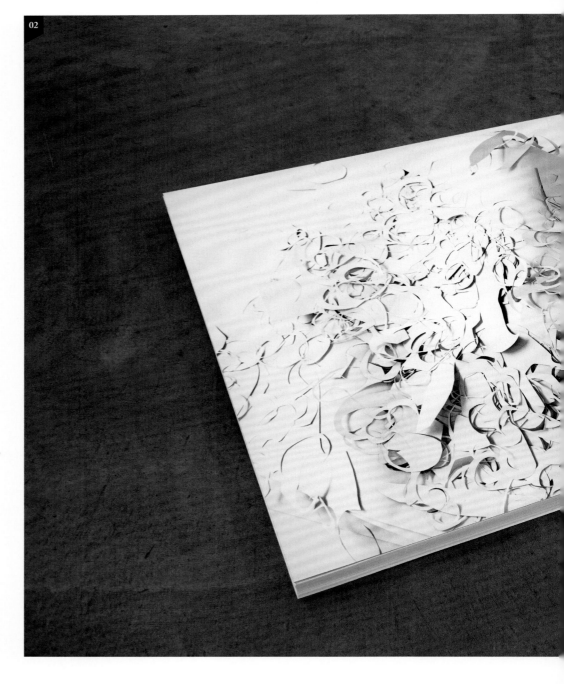

01 Exposition *Fragmented Entity* (« Entité fragmentée »), Art Rotterdam, Rotterdam, Pays-Bas, 2011. **02** *Clear Heads* (« Esprits libres »), photographie couleur sur aluminium. **03** *Photos from Photos* (« Photos de photos »), impression light-jet et impression light-jet sur aluminium. **04** *Everything's Metaphor (Criss Cross)* (« Tout est une métaphore (Tout se croise) »), impression light-jet sur aluminium.

05, 06 *Enclosed Content Chatting Away in the Colour Invisibility*
(« Contenus rassemblés bavardant dans l'invisibilité de la
couleur »), livres en couleur récupérés, Künstlerhaus Bethanien,
Berlin, Allemagne, 2009.

de l'artiste. D'autres sont des tirages light-jet sur aluminium. Kruithof donne également de l'envergure à ce moyen d'expression par le biais d'installations vidéo pour lesquelles elle se sert de photos déchirées, prises dans le cadre du projet. Dans une vidéo, on voit les fragments de photos exploser et flotter dans l'air ; la séquence est projetée sur une photographie exposée mais vierge. Dans une autre, une montagne de papier apparaît en train d'imploser. Pour Kruithof, ces explorations sont un moyen d'abandonner ses souvenirs, de recycler le passé pour donner au temps présent un sens nouveau. À l'opposé de la surcharge d'images qui accompagne l'ère de la communication, l'installation ralentit le rythme de notre consommation d'images

en nous incitant à observer la matière même d'une photographie, par le biais des morceaux de papier découpés et des nuances du grain de la pellicule.

À l'ère du numérique, notre observation des images évolue, mais aussi notre façon de lire. S'il est trop tôt pour annoncer la mort du livre imprimé, celui-ci n'est plus le principal moyen de réunir des informations. Dans *Enclosed Content Chatting Away in the Colour Invisibility* (« Contenus rassemblés bavardant dans l'invisibilité de la couleur ») (2009), Kruithof traite les livres comme un matériau sculptural. Cette installation composée de près de 4 000 livres récupérés a été construite et reconstruite six fois dans

des musées et des galeries en Allemagne et aux Pays-Bas, notamment la Künstlerhaus Bethanien de Berlin, le musée Het Domein à Sittard et la galerie Adler à Francfort. Chaque installation était modifiée en fonction des livres disponibles et de la disposition des tranches de papier coloré. Pour accompagner l'installation, une vidéo a été projetée sur des livres empilés contre un mur blanc. Passée en boucle, elle était destinée à bousculer le spectateur : on y entend une détonation. Le mur en livres s'effondre, contrairement aux livres réels de l'espace d'exposition, qui restent debout. À travers son œuvre, Kruithof donne ainsi une nouvelle vie à un matériau de plus en plus délaissé.

Jae-Hyo Lee

Le Sud-Coréen Jae-Hyo Lee produit des sculptures et installations uniques avec divers matériaux naturels – bois, feuilles et pierre – qu'il affine pour leur donner des formes géométriques et curvilignes (sphères, hémisphères, cylindres…). L'ensemble de sa production est marqué par un profond respect pour la beauté innée des formes naturelles, sa démarche consistant à façonner leurs caractéristiques pour les accentuer et les préserver.

Depuis la fin de ses études d'arts plastiques à l'université de Hongik en 1992, il s'est entièrement consacré à la sculpture, en particulier à l'ébénisterie. La texture est essentielle à sa démarche. La coupe transversale, la ciselure et le rabotage lui permettent de révéler les somptueux détails du grain. Les surfaces élégamment arrondies de ses constructions en bois font écho à la courbure et aux anneaux de croissance présents au sein du bois lui-même. Les contours fluides de ses sculptures nous charment tandis que l'interaction des motifs et des détails naturels révélés nous intrigue.

Les objets d'art de Lee ont été exposés dans de nombreux musées, galeries et parcs de sculptures à travers le monde. L'artiste a également conçu plusieurs constructions publiques majeures et, à un autre niveau, une multitude d'objets imitant des meubles (chaises, divans et tables), dans son style biomorphique caractéristique. La fonctionnalité n'est pas la finalité de ces sculptures inspirées du mobilier ; il faut les voir comme des créations parodiques ou idéalisées qui empruntent des formes familières du quotidien.

Lee a consacré la majeure partie de sa carrière au travail du bois et de la pierre, mais ces cinq dernières années, il s'est tourné vers le métal, notamment les boulons et clous en acier. À l'opposé de ses ressources naturelles habituelles, ces matériaux sont à la fois des produits et des piliers de l'industrie. Ils lui servent principalement pour créer des textures et des motifs, introduire des images en les fixant dans du bois brûlé, lequel est ensuite poli jusqu'à être parfaitement lisse. Certaines de ses créations les plus marquantes évoquent des météorites ferreuses : des composants métalliques sont placés contre une boule en bois noir roussi. Lorsque la lumière tombe dessus, les pièces de métal semblent couler ou scintiller comme de lointaines galaxies. Si les motifs organiques prédominent dans son art, Lee ne se réfère pas exclusivement

01 *0121-1110=1091212*, boulons en inox, clous et bois, 2009.
02 L'artiste au travail. **03** *0121-1110=110101*, bronze, 2010.
04 *0121-1110=106111*, bois.

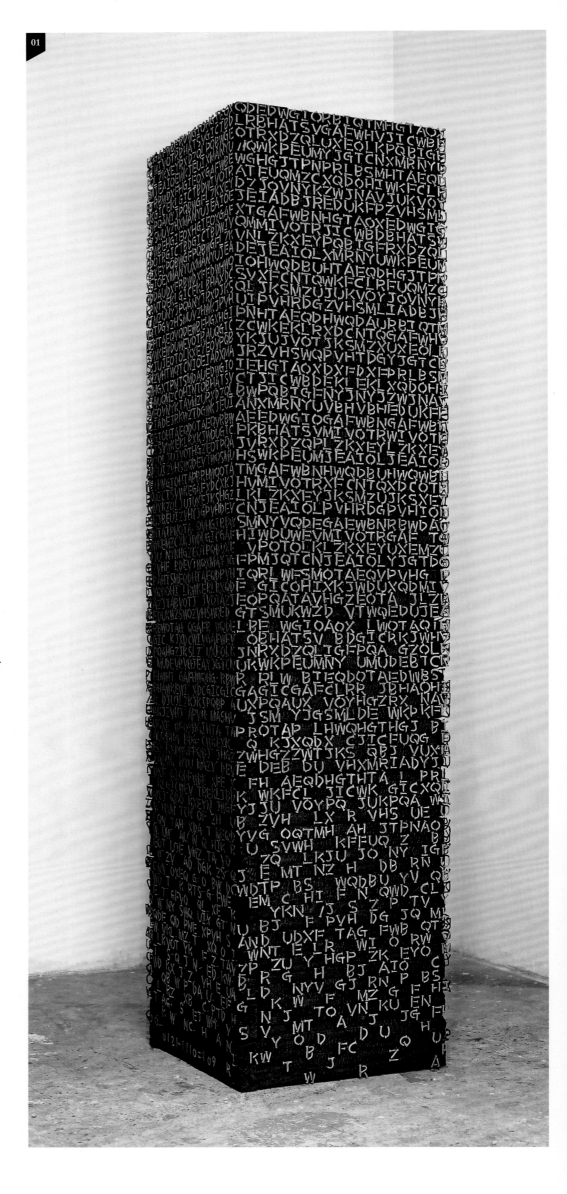

05 *0121-1110=1100810*, bois, 2010. **06** *0121-1110=111038*, bois, 2011. **07** *0121-1110=110011*, bois (pin d'Oregon), 2010.

à la nature. Certaines de ses constructions en bois et en métal portent des motifs typographiques, fondés sur l'alphabet latin. Telles des pierres de Rosette des temps modernes, elles ont une dimension mystique et monumentale.

La méticulosité accordée à ses créations et l'artisanat de haut niveau nécessaire à leur réalisation sont particulièrement manifestes dans toute la production de Lee. Chaque construction est le fruit de nombreuses heures de travail physique intense. Pour obtenir ses formes prolifiques, en particulier dans le cas de ses constructions à base de clous, il s'entoure de plusieurs artisans qui l'aident à accomplir ce laborieux processus. Le sens de l'humour de l'artiste transparaît également dans son jeu sur les motifs en lien avec les matériaux employés. Par ailleurs, les formes qu'il choisit ont souvent une certaine innocence : œufs, tunnels ou doughnuts, comme si ses travaux appartenaient à des contes fantastiques ou des histoires pour enfants. Avec leur pureté et leur minimalisme caractéristiques, ces formes demeurent ouvertes et accessibles, et ne dévoilent que peu des efforts investis dans leur construction.

Par sa démarche, Lee exprime un équilibre entre les forces de l'homme et celles de son environnement naturel. « Mon art porte sur la matière : tout commence et finit avec elle, explique-t-il. Mon seul but est de dévoiler la nature de matières premières ordinaires comme le bois ou les clous… pour découvrir une autre façon de les présenter. » À cet égard, on peut dire qu'il remplit parfaitement sa mission.

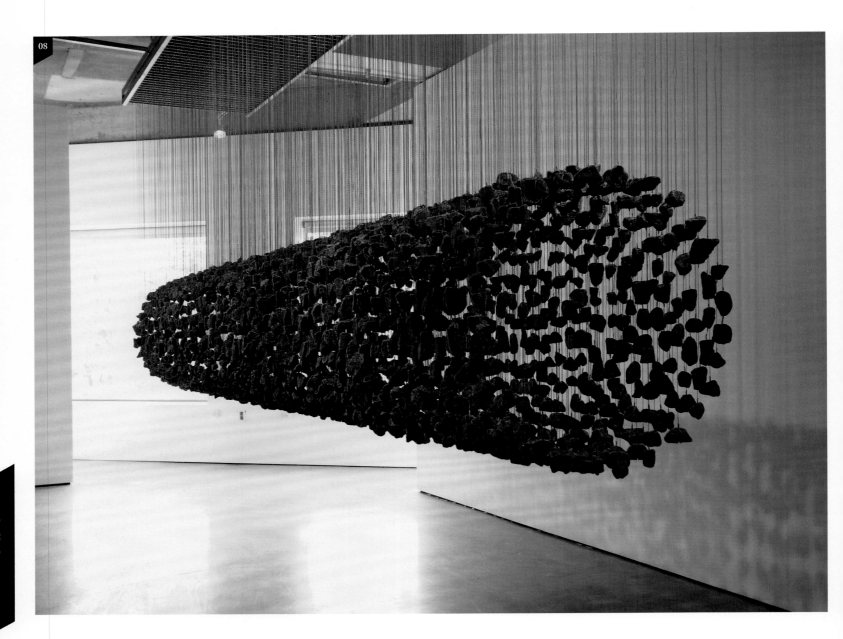

08 *0121-1110=1080815*, pierre, 2008. **09** *0121-1110=105102*, boulons en inox, clous et bois.

Luzinterruptus

Le collectif espagnol anonyme Luzinterruptus est connu pour son art lumineux qui investit l'espace public. Ses membres arrivent ensemble, cachés dans l'obscurité, et combinent leurs talents dans les beaux-arts et la photographie pour créer et immortaliser des interventions étonnantes. Leur nom, une construction d'origine latine qui signifie « lumière interrompue », fait référence à la nature éphémère de leurs créations : ils allument des lumières dans la ville quand d'autres les éteignent ou les retirent.

Leurs premières incursions ont eu lieu dans les recoins les plus sombres de Madrid, fin 2008. Leur idée de départ était simple : utiliser la lumière pour attirer l'attention du public sur des problèmes de la ville qui, selon eux, passaient inaperçus. Depuis, ils ont produit une œuvre prolifique dans toute l'Europe, et, en 2010, leur projet *Literature vs Traffic* (« Littérature contre Trafic »), exécuté aux petites heures du jour dans les rues de Brooklyn, a fait parler d'eux dans le monde entier. Par cette intervention, ils désiraient « s'emparer des rues et conquérir l'espace public qui, durant quelques heures, succomberait au modeste pouvoir de l'écrit ».

Tous leurs projets ne sont pas ouvertement politiques ou socialement engagés. Leur inspiration peut être purement esthétique, naître d'une volonté d'attirer l'attention sur des éléments de l'architecture ou de la nature, à l'instar d'*An Almost Ephemeral Autumn* (« Un automne presque éphémère ») (2009) : les artistes y ont donné forme à de mystérieuses ombres nocturnes en illuminant des petits tas de feuilles jaunissantes. Les jeux de lumière offrent un formidable effet visuel, ils altèrent l'apparence du lieu sans modifier la ville de façon permanente.

Outre les LED, le collectif complète ses installations en puisant dans des matériaux récupérés et recyclés, comme des sacs en plastique. « Un minimum de ressources pour une efficacité maximale » est son mot d'ordre. Hélas, il n'a rien trouvé d'aussi efficace et durable que les LED pour produire la lumière, et l'achat en gros de ces accessoires demeure son poste budgétaire le plus important. Il étudie la possibilité de les remplacer par des matériaux photosensibles, plus écologiques, mais, pour le moment, ces derniers sont difficiles à contrôler. Utiliser des flammes nues serait par ailleurs trop risqué.

Manipuler de minuscules flashs de lumière dans un cadre urbain perpétuellement mouvant constitue un vrai défi. L'équipe

01, 02, 03 *An Almost Ephemeral Autumn* (« Un automne presque éphémère »), feuilles tombées des arbres, fils de fer et LED, installation, 2009.

04

04 *The Wind Brought Us the Crisis* (« Le vent nous a apporté la crise »), LED et quatre-vingts journaux financiers, bourse de Madrid, Madrid, Espagne, 28 avril 2009. **05** *Literature vs Traffic* (« Littérature contre Trafic »), LED et 800 livres récupérés, New York, États-Unis, 2010.

Au verso **06, 07, 08, 09** *Floating Presences* (« Présences flottantes »), LED, ballons et tissu, festival Rizoma, Molinicos, Espagne, 2010.

prépare souvent en amont l'aspect final d'un projet, mais la majeure partie du processus créatif est improvisée dans des conditions clandestines, la plupart des installations étant créées sans autorisation. Pour un effet optimal, Luzinterruptus se complique encore un peu plus la tâche en choisissant des lieux faiblement éclairés dans une ville contaminée par la lumière.

Outre leurs projets clandestins, les artistes de Luzinterruptus ont également eu l'opportunité de créer des installations de grande envergure commandées par les pouvoirs publics. Ils ont notamment été engagés par la mairie de Madrid pour concevoir les illuminations de Noël – *Caged Memories* (« Souvenirs en cage »),

2010 –, suspendues dans des cages. Comme le projet était financé par l'argent public, ils ont invité les riverains à y participer en apportant un bien qui leur était cher pour qu'il soit mis en cage avec les éclairages. Ils n'avaient pas prévu que cette installation prendrait une dimension cathartique ; pourtant, c'est la tournure qu'a revêtue l'événement lorsque les participants ont exprimé leur désir d'expliquer leur choix d'objet.

Pour une autre commande dans le cadre du festival de cinéma et de musique Rizoma, à Molinicos, un petit village dans la province espagnole d'Albacete, ils se sont attelés à la création d'une armée d'« êtres » de lumière qui flottaient sur la rivière au cœur du village. Celui-ci a été le cadre d'un film culte

espagnol, *Amanece, que no es poco* (1989), dont Luzinterruptus voulait refléter l'atmosphère surréaliste. L'installation a duré une semaine, puis la rivière est redevenue telle qu'elle était avant leur passage.

Luzinterruptus œuvre à restaurer des espaces publics pour les citoyens et à les aider à résister à la marée montante de l'urbanisme sauvage, souvent néfaste à notre qualité de vie. Le collectif laisse derrière lui ses créations, comme « de petits cadeaux porteurs d'un message implicite : la rue est à tout le monde, et à condition de respecter l'autre, chacun peut s'y exprimer librement ».

10, 11, 12, 13 *Caged Memories* (« Souvenirs en cage »), 400 cages dorées, souvenirs personnels et LED, Plaza de los Ministriles, Madrid, Espagne, 2010.

Maria Nepomuceno

Tissées, galonnées et filetées, les installations sculpturales pleines de vie de l'artiste brésilienne Maria Nepomuceno se déploient dans l'espace qu'elles occupent ; parfois suspendues dans l'air, certaines grimpent le long des murs comme les lianes multicolores d'une forêt tropicale. Ses créations organiques entrelacées reposent sur un mélange de matériaux (corde, paille, perles) et une construction en spirale qui évoque l'ADN, le plus petit élément de la vie. Cette construction en spirale est pratique et présente des possibilités créatives illimitées. Pour l'artiste, ce motif représente « l'espace le plus profond de [son] être, un mystère infini. C'est le mouvement du cordon ombilical, des cyclones, des planètes, de l'ADN, des galaxies, de l'univers ».

La production de Nepomuceno a souvent été influencée et modelée par ses expériences personnelles. À dix ans, sa belle-mère lui a appris à tricoter de simples tresses. « J'adorais cela puis, par la suite, tricoter des tresses de tresses, se remémore-t-elle. Plus tard, j'en ai cousu une en spirale, épaisse, une version précoce de mes créations actuelles. » Encouragée par un oncle peintre, elle a étudié le dessin et la peinture à l'école des arts visuels du Parque Lage, puis le dessin industriel à l'université de Rio de Janeiro, où elle s'est spécialisée dans la sculpture. Plus tard, l'expérience personnelle de la grossesse l'a poussée à mener une réflexion sur la transformation de son corps, « notamment sur le cordon ombilical, organe temporaire capable de relier des mondes et des générations, de créer un pont entre l'espace et le temps. J'ai introduit les cordes dans mon travail, symboles du cordon ombilical. »

La corde est devenue un élément emblématique de ses sculptures : non seulement en tant que symbole culturel et métaphorique, mais aussi en raison de sa simplicité et de sa dimension ordinaire, appréciées par l'artiste. Cet attachement pour les matériaux naturels et quotidiens l'a entraînée dans l'exploration des techniques de tressage de la paille. « Je suis impressionnée par les possibilités qu'offrent les feuilles séchées dans la confection de paniers, et la terre humide dans celle d'autres objets. C'est pourquoi j'ai décidé d'intégrer la paille tressée à mes créations. C'est une technique passionnante, inventée par les peuples indigènes d'Amérique latine. En collaborant avec des artisans du nord-est du Brésil, j'ai découvert que cette pratique tombait en désuétude. »

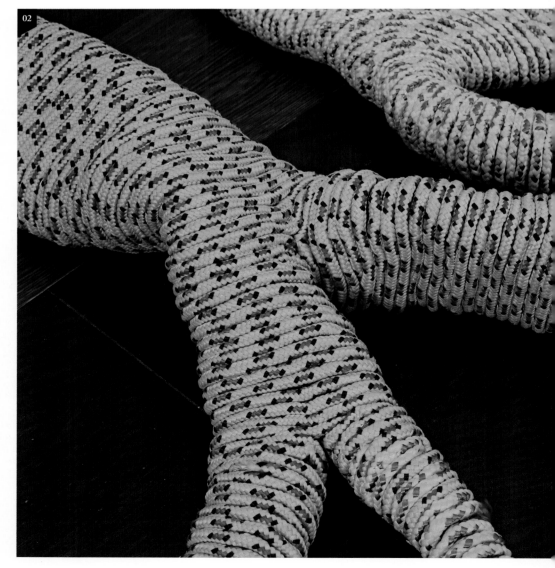

01 *Sans titre*, cordes et perles, 2010. **02** *Sans titre* (détail), cordes cousues et perles, 2008. **03** *Sans titre* (détail), cordes, perles et tissu, 2010. **04** Performance, 2008.

05 *(Au verso) Sans titre*, cordes, perles et tissu, 2010.

06 *Sans titre*, paille tressée, cordes et perles, 2010.

Au verso 07 *Sans titre*, cordes cousues et céramique, 2008.
08 *Sans titre*, cordes cousues et perles, 2008.

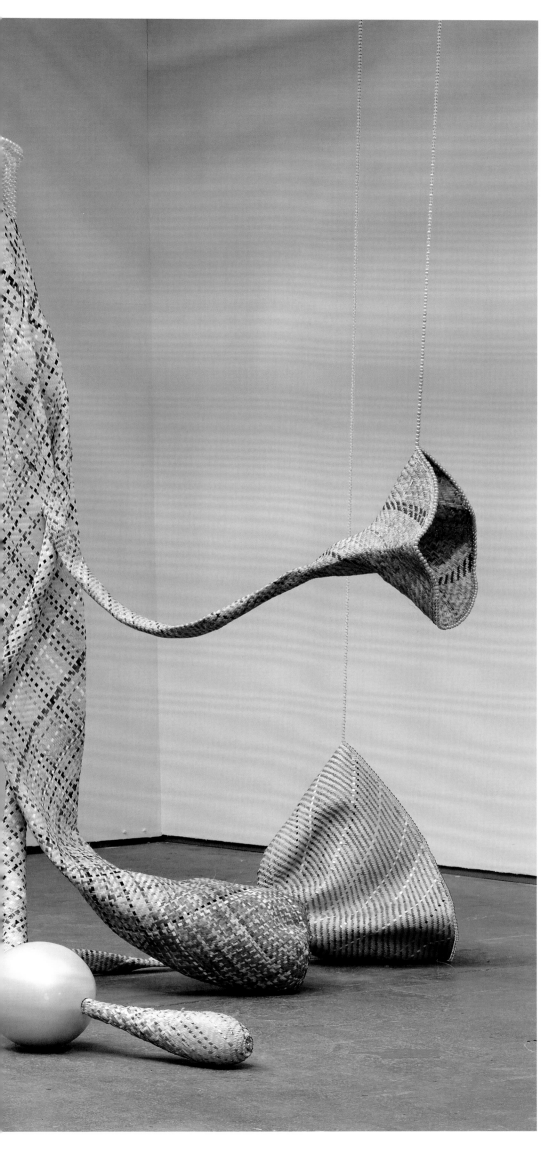

Sur le plan conceptuel, les sculptures de Nepomuceno s'inspirent donc des principes élémentaires de la nature, de l'ADN et de l'interdépendance de la vie. Visuellement, ses créations amorphes évoquent des microbes ou des parties du corps humain, voire les rapports humains. La corde y représente un cordon ombilical ou un lien reliant plusieurs éléments ; les perles peuvent être interprétées symboliquement comme des points fertiles, d'où une infinité de nouveaux départs est possible. Les techniques et matériaux employés ont une signification culturelle qu'ils doivent à leur usage par les indigènes. Les formes de ses créations sont souvent liées à des traditions ancestrales. Celle du hamac, par exemple, permet d'explorer le mouvement et le contraste offert entre tension et relaxation.

Conformément à ces techniques artisanales complexes, Nepomuceno travaille exclusivement à la main. Elle réalise au préalable des dessins sommaires, mais beaucoup de ses décisions sont prises en cours d'exécution. « La couleur et les formes sont en perpétuelle transformation, explique-t-elle. En passant d'une couleur à une autre, d'une taille à une autre, je parviens à créer une œuvre en mouvement perpétuel. Structurellement, mon dessein demeure le même pendant la phase de construction : donner à mes sculptures une forme en spirale. J'ai parfois le sentiment de fonctionner de plus en plus comme un peintre, parce que je considère les sculptures comme des zones de couleur tridimensionnelles, sur lesquelles repose l'équilibre des volumes. » Avec un œil de peintre, Nepomuceno nous offre un formidable univers de sculptures bourgeonnantes, qui préservent tout leur mystère et leur charme touchant.

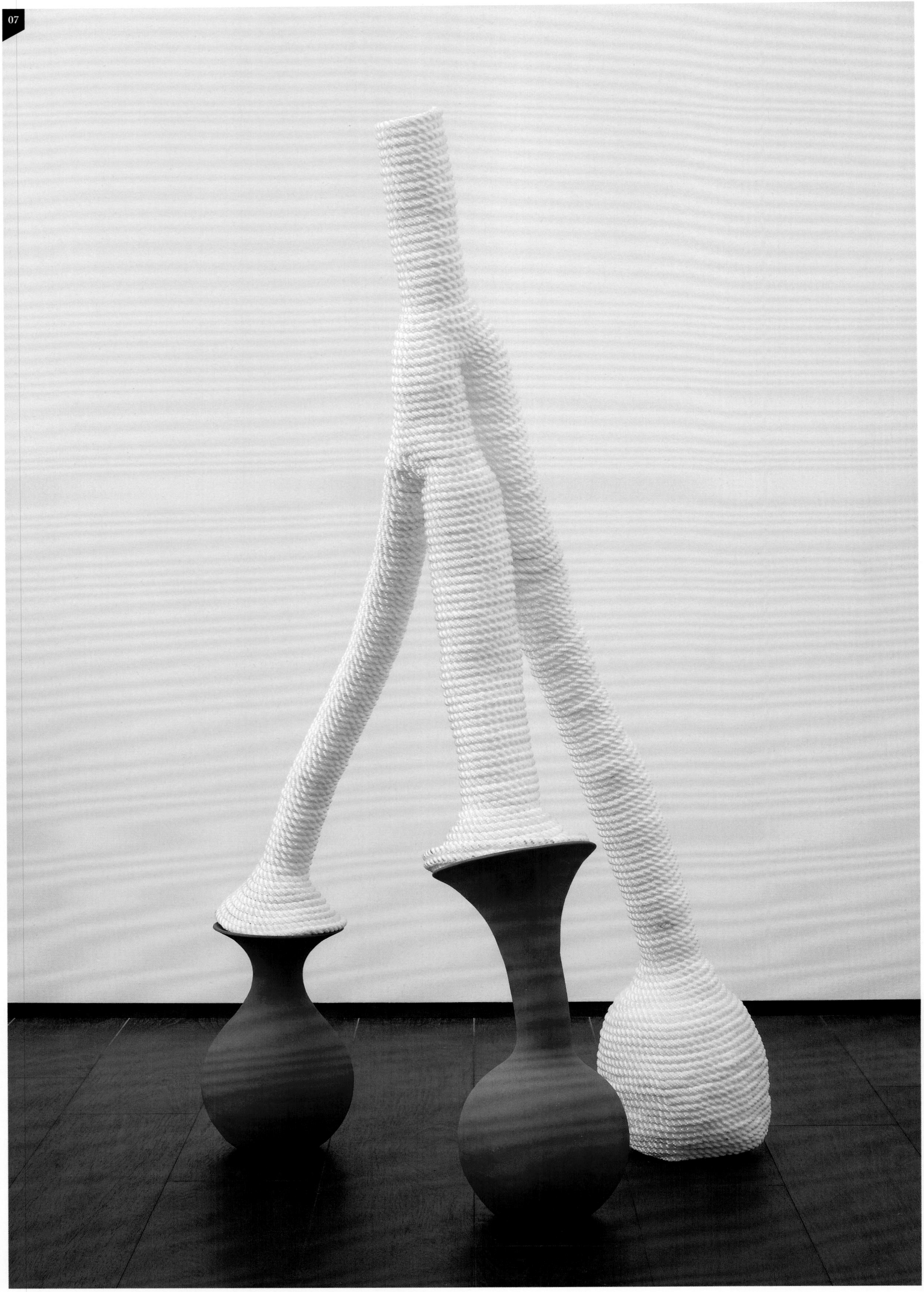

Henrique Oliveira

À São Paulo, l'œuvre du peintre et sculpteur Henrique Oliveira s'inspire de la vie urbaine et de la nature. Étudiant, il s'est intéressé aux possibilités qu'offrait un type de contreplaqué prédominant en ville, en apparence ordinaire. Appelé *tapumes*, « matériau pour clôtures » ou « planches » en portugais, ce bois laminé bon marché sert principalement à la fabrication de panneaux temporaires sur des sites en construction. Le plus souvent composés de pin, les stratifiés peu épais sont collés ensemble en alternant l'orientation verticale ou horizontale de la fibre du bois. Oliveira s'est passionné pour la façon dont ils se lézardaient, se recourbaient et s'écaillaient à force d'être exposés aux intempéries pour révéler des couches de bois décoloré de différentes teintes.

Les textures ont toujours séduit Oliveira. Avant le contreplaqué, il avait tenté de construire les surfaces de ses peintures avec du papier journal et un mélange de sable et de peinture. Il a d'abord utilisé le contreplaqué de façon similaire, mais il a rapidement été frappé par les textures et les tons naturels du matériau. En principe, le bois est teinté de rose pour son usage industriel, même s'il est souvent peint dans d'autres coloris pour les clôtures. Lorsque le bois se détériore, les couches et couleurs des stratifiés se séparent, ce qu'Oliveira compare à la technique de la peinture et aux coups de pinceau sur la toile. Cela lui a donné l'idée d'utiliser le matériau à la fois comme un sculpteur et un peintre. S'en est suivie une longue phase d'essais et de développement : de créations et collages en deux dimensions, ses travaux sont progressivement devenus des objets en trois dimensions.

Les *tapumes* sont flexibles, mais, pour construire des structures, Oliveira avait besoin d'un matériau plus robuste et malléable. Après avoir utilisé des tubes en PVC pour monter des structures autour desquelles il moulait des feuilles de contreplaqué, il a fait des essais avec des planches plus tendres, également concluants. Aujourd'hui, ses structures de base sont en bois seul ou en bois, tubes et treillis métalliques. Il applique des couches de bois, qu'il humidifie pour les plier et les intégrer à leur place. Petit à petit, ses sculptures « tridimensionnelles » sont devenues plus ambitieuses que jamais en termes d'échelle et de complexité architecturale. Si certaines des petites sculptures sont comparables à des peintures abstraites en bois à fibres ondulées, celles de grande taille allient la sculpture et l'esthétique d'une peinture.

01 L'artiste à l'œuvre sur la sculpture *Coisa* (« Chose »), bois, PVC, gaze, ciment, cire d'abeille et polyuréthane, 2008. **02, 03, 04** Travail sur l'installation *The Origin of the Third World* (« L'Origine du Tiers Monde »), bois, PVC et métal, Biennale de São Paulo, São Paulo, Brésil, 2010.

Au verso **05** *Tapumes – Casa dos Leões*, bois et PVC, installation, 7ᵉ Biennale de Mercosul, Porto Alegre, Brésil, 2009. **06** *Sans titre*, bois et PVC, Centro Cultural de São Paulo, São Paulo, Brésil, 2006. **07** *Paralela* (« Parallèle »), bois et PVC, São Paulo, Brésil, 2006.

03

04

08 *Tapumes*, bois, Fiat Mostra Brasil, São Paulo, Brésil, 2006.
09 *Tapumes* (détail). 10 *Tríptico* (« Triptyque »), bois et PVC, 2008. 11 *Sans titre*, bois, 2009.

Au verso 12 *Túnel* (« Tunnel ») (entrée), bois, PVC et cire d'abeille, Instituto Itaú Cultural, São Paulo, Brésil, 2007.
13, 14 *Túnel* (vision de l'intérieur). 15 *Túnel* (sortie).

11

L'une de ses plus grandes créations à ce jour, *Tunel* (« Tunnel »), a été présentée à l'Instituto Itaú Cultural de São Paulo en 2007, dans le cadre de l'exposition *Le Futur du présent*. Les visiteurs étaient invités à se promener dans cet environnement pleinement immersif, où ils pouvaient toucher et sentir les matériaux. Construit dans une logique architecturale, l'œuvre gardait pourtant son essence de sculpture. Des rampes menaient les visiteurs de l'entrée jusqu'à une petite pièce couverte de cire d'abeille, vers un espace fermé ou encore vers un étroit couloir de l'autre côté de la pièce.

La plupart des œuvres d'Oliveira sont en profond décalage avec l'environnement immaculé des galeries. En 2009, dans le cadre de la 7e Biennale de Mercosul, il a eu l'opportunité de concevoir une sculpture qui surgissait d'une vieille bâtisse de style colonial ancien dans le centre de Porto Alegre, au Brésil. Intitulée *Tapumes – Casa dos Leões*, elle donnait l'impression d'avoir poussé là. L'état de pourriture du bois dans cette œuvre produisait le même aspect que les murs délabrés du bâtiment. Comme l'artiste le constate : « Le bois autrefois traité et industrialisé retourne à la nature, à une forme transmuée de celle-ci. Dans un contexte urbain, son apparence a quelque chose de surréaliste. »

Oliveira continue de faire les poubelles et de fouiller les décharges de la ville à la recherche de contreplaqué et d'autres matériaux. Cette activité pratique apporte aussi beaucoup à sa réflexion, car les observations qu'il tire de la décomposition des matériaux de récupération et de l'architecture influent sur son travail, ainsi que ses impressions et expériences durant ses études dans les contrées rurales du Brésil.

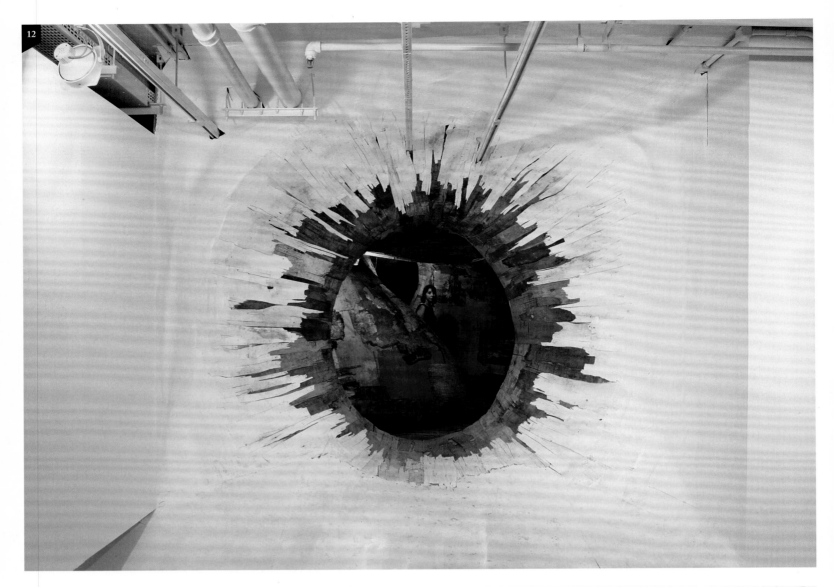

Erik Otto

Erik Otto vit à San Francisco et puise dans la peinture et les matériaux de récupération pour créer des installations et des peintures, à la fois conceptuelles et expressives, qui intègrent des techniques mixtes. Outre sa pratique artistique, il a conçu et construit des installations de grande taille, des décors de théâtre, des devantures de magasins et des décors de films indépendants. À ses yeux, la récupération de déchets utiles fait partie intégrante de sa démarche. Il profite de sa quête de matériaux appropriés pour réfléchir aux concepts de sa création à venir. Pour reprendre ses mots : « Je termine souvent les premières étapes sans avoir une idée précise de la suite, et cherche intuitivement une solution qui décidera du résultat final, à partir des qualités suggestives du moyen d'expression et des matériaux à ma disposition. »

Toutes les pièces métalliques réunies par Otto ont une histoire et des qualités uniques qui apportent une aura de mystère et accordent une plus grande place à l'improvisation. « Lorsque je suis tombé sur un tricycle abandonné, explique-t-il, j'ai tout de suite su que je devais le rapporter à mon atelier pour le réutiliser. Je lui ai donné une nouvelle finalité dans *Slow Journey (Phase 1)* (« Long Voyage (Phase 1) ») pour la 941 Geary Gallery : il y a été refaçonné de façon à donner l'illusion de remorquer une immense maison. Cela m'arrive fréquemment. Je passe mon temps à chercher à lier des objets trouvés par hasard à un futur projet ; de ce fait le laps de temps entre leur découverte et leur recyclage est relativement court – autrement, mon atelier commencerait à ressembler à une décharge. » Dans le cadre d'un projet plus récent, il fixe des ampoules à ses peintures, idée qu'il a puisée dans l'œuvre de Robert Rauschenberg. Plutôt que de peindre la lumière, il a estimé intéressante l'intégration d'une véritable ampoule qui procure à l'œuvre un éclat plus familier.

En combinant des peintures – qu'il envisage comme des essaims d'idées – et des sculptures, Otto a pour ambition d'instaurer un dialogue entre différentes œuvres de ses expositions ; celles en trois dimensions, notamment de grande taille, invitent le spectateur à jouer un rôle plus actif dans l'art. Il prend souvent pour thème un merveilleux rêve compromis par une menace sous-jacente de destruction, symbole de notre existence dans un monde agité : « Mon but est d'emmener le spectateur dans un lieu où le chaos rencontre

01 *Collective Force* (« Force collective ») (bleu), peinture de bâtiment, peinture en spray, sérigraphie et crayon sur panneau avec ampoule, 2010. **02** *Dreamcatcher Phase I* (« Attrape-rêves phase I ») peinture de bâtiment, peinture en spray, bois de récupération, vitre et flèches, 2010. **03** L'artiste avec ses matériaux. **04** *Road of Prosperity (The Start of a New Beginning)* (« La Route de la prospérité (Le Début d'un nouveau commencement) »), bois recyclé, peinture de bâtiment, peinture en spray et ligne de pêche, 2010. **05** L'atelier de l'artiste, bois recyclé et peinture de bâtiment, 2010.

la paix, où le relâchement croise le raffinement ;
de dépeindre les durs efforts nécessaires
pour connecter l'état d'éveil et les désirs qui
l'habitent. En puisant dans une imagerie
symbolique, je cherche à proposer une œuvre
qui nous rappelle que nous devons mener une
vie pleine de sens et réaliser nos rêves. »

La maison est un symbole qui le touche
personnellement et illustre son thème central,
vivre pleinement l'instant présent : « Ce motif
m'accompagne depuis des années, et même
si certains jours j'ai envie de passer à autre
chose, une nouvelle catastrophe se produit,
au point que le symbolisme et les possibilités

de la maison prennent une dimension plus
profonde encore. Je pense que beaucoup de
combats personnels peuvent être résolus grâce
à la créativité, mais encore faut-il en avoir les
moyens. On dit que pour créer il faut se sentir
en confiance, en sécurité : la maison incarne ces
sentiments. Par ailleurs, j'utilise régulièrement
le motif des nuages et des vagues en mutation
permanente : ils représentent les saisons
de la vie, l'idée que rien n'est immuable.
Récemment, j'ai introduit des mouvements
circulaires et des cercles, incarnations du cycle
de la vie et de la paix. »

06 *Slow Journey (Phase 1)* (« Long Voyage (Phase 1) »),
peinture de bâtiment, peinture en spray, bois de récupération,
roues pivotantes, corde et tricycle trouvé, 2010. **07** *Immunity*
(« Immunité »), peinture de bâtiment, peinture en spray,
sérigraphie et crayon sur neuf panneaux, 2010. **08** *Moment of*
Victory (« Victoire »), peinture de bâtiment, peinture en spray
et crayon sur morceau de bois, 2009. **09** *Silence Speaks Volumes*
(« Le silence en dit long ») (détail), peinture de bâtiment,
peinture en spray, bois récupéré et ficelle, 2009.

10 *Centripetal Force* (« Force centripète »), peinture de
bâtiment, peinture en spray et crayon sur quatre panneaux,
2010. **11** *Collective Force* (« Force collective ») (rouge), peinture
de bâtiment, peinture en spray, sérigraphie et crayon sur
panneau avec ampoule, 2010.

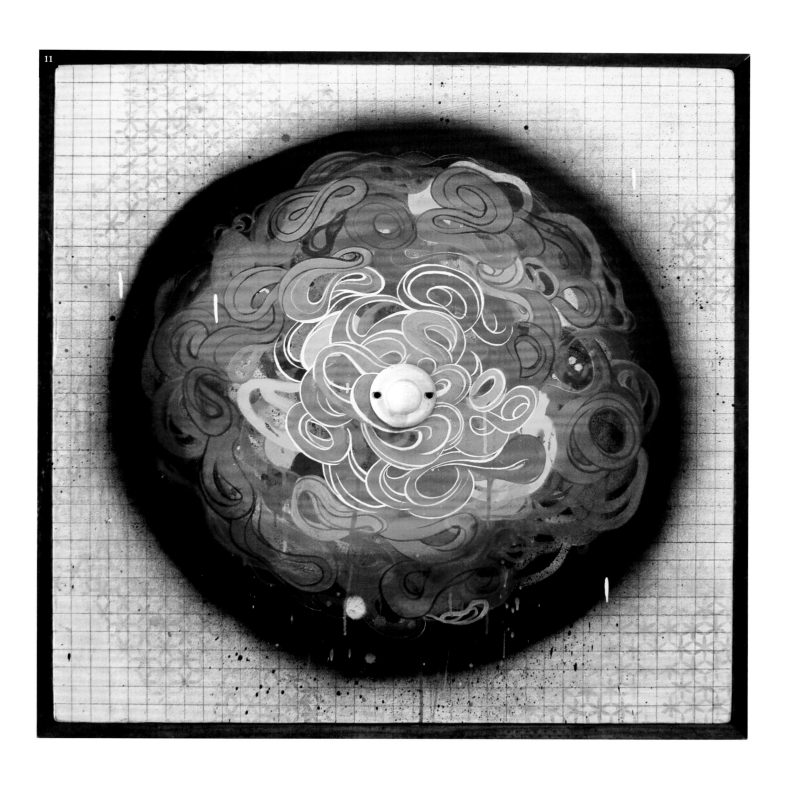

Mia Pearlman

Dans son atelier de Brooklyn, Mia Pearlman puise son inspiration dans l'énergie et la beauté de forces naturelles et de formes organiques : nuages, icebergs, toiles d'araignées, tornades… Guidée par ces merveilles de la nature, elle conçoit des installations atmosphériques, des collages et sculptures en verre, des dessins et des travaux sur papier. Ses gigantesques installations en papier découpé, exposées dans de nombreux musées et galeries, ont en particulier su capter l'imagination du public. Comparant ses travaux à des systèmes météorologiques imaginaires, elle les décrit comme des « dessins éphémères, à la fois en deux et trois dimensions, qui brouillent la frontière entre l'espace réel, illusionniste et imaginé ». Dans une interaction ludique avec l'espace d'exposition, ses sculptures surgissent des murs et des fenêtres ou semblent voltiger dans un coin, comme figées dans leur mouvement ; elles brillent souvent d'une lumière naturelle ou artificielle.

En 2004-2005, Pearlman a exécuté ses premiers dessins de nuages au graphite sur papier, avant de passer à des versions peintes à la détrempe sur du plâtre. En 2007 ont vu le jour ses premières sculptures sur le modèle de ses travaux sur papier. Elle a eu cette idée alors qu'elle s'apprêtait à créer des nuages avec la technique du monotype, en utilisant comme réserve du papier découpé en forme de nœud. Enthousiasmée par la découpe du papier, elle s'est peu à peu désintéressée du monotype pour se tourner vers le collage. Une nuit, elle a laissé une pile de couches de papier découpé punaisée au mur. Le lendemain, la pile s'était défaite et le hasard avait voulu que les feuilles créent un effet sensationnel de suspension dans l'espace. Une semaine plus tard, elle créait *Whorl* (« Spirale ») (2007), sa première installation en papier découpé.

Depuis, elle a continué d'expérimenter cette technique du papier découpé et élaboré une méthode de travail fondée sur l'intuition et la spontanéité. « Je commence par des dessins au trait libre à l'encre de Chine sur de grands rouleaux de papier, explique-t-elle. Je découpe ensuite des parties sélectionnées entre les lignes pour produire un nouveau dessin dans l'espace positif et négatif au verso. L'installation finale est composée de 30 à 80 de ces éléments en papier découpé ; je la crée sur le site par approximations successives, un rituel de deux à trois jours où s'affrontent hasard et contrôle. » Les éléments en papier découpé ont une existence instable, temporaire, qui dure le temps de l'exposition et fluctue en permanence.

01 L'artiste au travail à l'Islip Art Museum, Long Island, États-Unis. 02 L'artiste au travail dans son atelier. 03, 04, 05 *Penumbra* (« Pénombre »), papier, encre de Chine, trombones et punaises, Plaats Maken, Arnhem, Pays-Bas, 2010.

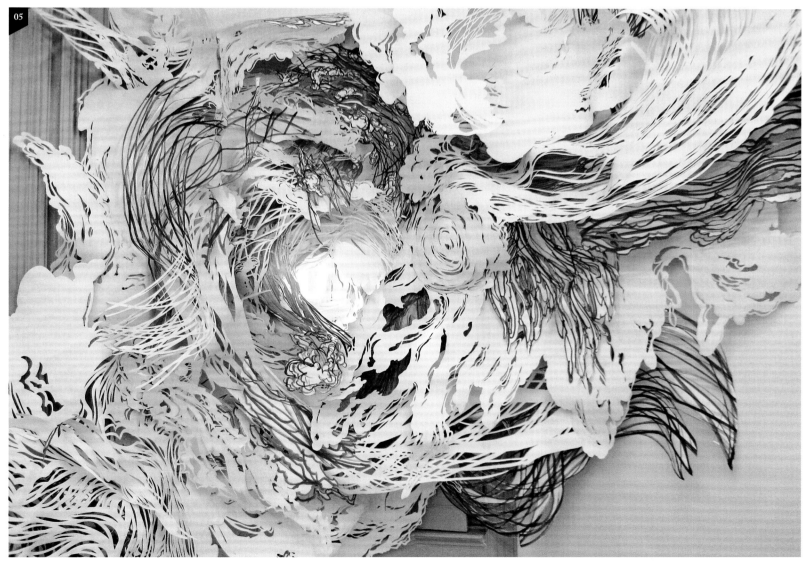

06

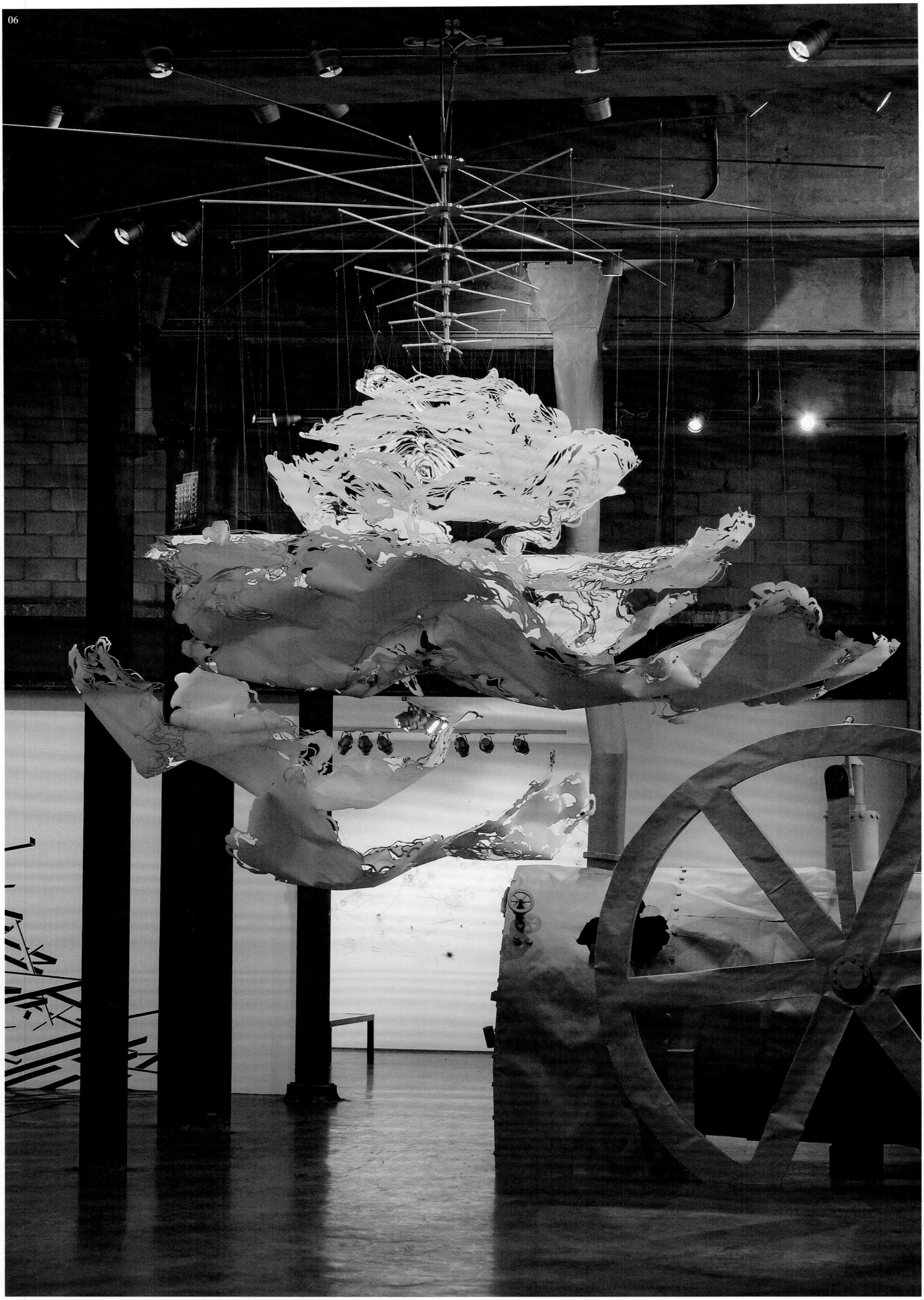

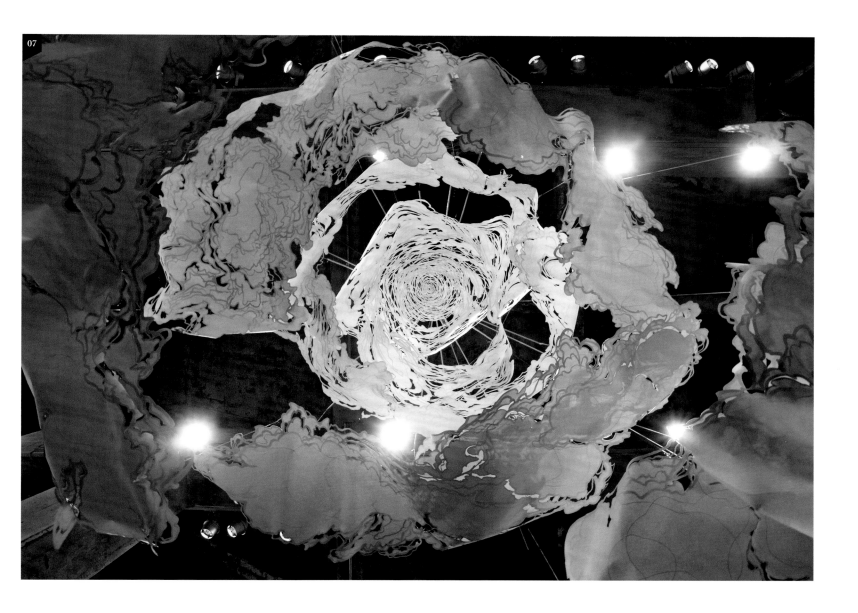

À travers ce processus de changement continuel, l'artiste aborde les thèmes de la création, de la destruction et du caractère éphémère de la vie.

C'est la nature changeante du papier qui attire Pearlman. Il a une vie propre : il n'est pas passif, mais, au contraire, se courbe, ondule et se détend de son propre chef. La réaction du papier a une dimension aléatoire sur laquelle repose en partie le processus de la création. Le défi est de voir jusqu'où le matériau peut être manipulé avant de se déchirer. À ce sujet, l'artiste déclare : « Si les installations sont défaites à la fin, c'est uniquement pour devenir une nouvelle création ailleurs. Comme toute chose, le matériau évolue sans arrêt. On s'attache tant à l'idée d'"objets durables", on cherche tant à créer des héritages qui pourront être vendus ou transmis. Si je comprends l'attrait que peut avoir la possession d'un objet

pendant une longue période, ce n'est rien de plus qu'une illusion. Rien ne dure pour l'éternité… Le temps a raison de tout. Je donne à voir cette absurdité de notre désir de tout contrôler alors que la vie est en réalité bien souvent soumise au hasard. Nous pouvons le nier, l'accepter ou baisser les bras. J'essaie de faire en sorte que ces aspects de la réalité, antagonistes et pourtant liés, continuent de dialoguer. »

D'un point de vue formel, la production de Pearlman porte essentiellement sur l'espace. Le papier lui permet de basculer entre deux et trois dimensions en transformant un élément plat en volume, sans perdre les qualités du dessin : « De l'espace est présent dans un dessin plat, de même qu'une sculpture en trois dimensions peut comporter des dessins plats. J'aime osciller entre l'illusion de la forme et la forme elle-même. »

06, 07 *Maelstrom*, acier, aluminium, papier, encre de Chine, monofilament et fil de fer, Smack Mellon, Brooklyn, États-Unis, 2008.

08 Islip Art Museum, Long Island, États-Unis. **09** *Gyre*
(« Enroulement »), papier, encre de Chine, punaises et trombones,
Islip Art Museum, Long Island, États-Unis, 2008. **10** *Influx*
(« Afflux ») (détail), papier, encre de Chine, punaises et trombones,
Roebling Hall Gallery, New York, États-Unis, 2008.

Lionel Sabatté

À Paris, Lionel Sabatté travaille avec une vaste palette de techniques : peinture, dessin, sculpture, animation et autres. Ses idées et réalisations résultent souvent de processus spontanés ou improvisés, dans la lignée du mouvement d'après-guerre CoBrA ou du montage et autres techniques des dadaïstes au début du xxᵉ siècle. L'idée de recyclage est prédominante dans son œuvre : qu'il s'agisse d'un motif démodé, de détritus organiques (peau, ongles) ou de substances négligées comme la poussière, ses concepts et ses matériaux symbolisent le temps qui passe et incitent à s'interroger sur les pratiques artistiques.

Dans son œuvre provocante et ludique, Sabatté utilise souvent des matériaux inhabituels et rafraîchissants, que ce soit par leur trivialité ou leur capacité à choquer et à surprendre. Dans une récente série de peintures – dans laquelle s'inscrit *Souffles oxydants* (2010) –, il a combiné sur la toile deux solutions, l'une à base de fer, l'autre d'oxygène. Le mélange n'a pas tardé à rouiller, comme s'il était soumis aux effets d'une accélération du temps. Le résultat obtenu est l'équivalent chimique de la dégradation organique : la toile est également devenue patinée, vieillie. Dans ces peintures qui se cloquent et se corrodent, on peut voir une interprétation subversive du thème des vanités dans l'art, qui nous rappelle le caractère éphémère de la vie.

Pour la même raison, l'artiste est séduit par la poussière en tant que matériau, car elle est en soi une preuve du temps qui passe. Pour une bonne part constituée de cheveux et de peaux mortes, la poussière au sein du foyer ou dans d'autres intérieurs provient d'un processus permanent de régénération (les êtres humains renouvellent l'ensemble de leurs cellules en un mois environ), ce qui l'enrichit d'une profonde dimension existentielle. Sabatté intègre à ses créations de la poussière soigneusement récupérée à la station Châtelet-Les Halles, foulée chaque jour par une multitude d'usagers, et la transforme en série de loups et autres animaux (*Février*, 2006). Il a choisi de prélever son matériau dans ce lieu parce que, comme il le dit lui-même, « une foule de gens passent par cette station quotidiennement. Paris est également la ville la plus touristique au monde, cette poussière est donc la plus incroyable collection de particules laissées par des humains ! C'est une manière poétique de rassembler un échantillon génétique et social d'une grande richesse. »

01

01 *Février* et *Septembre,* loups constitués de poussière prélevée dans le métro parisien, 2006. 02 *Février, Août* et *Septembre,* loups constitués de poussière prélevée dans le métro parisien, 2006. 03 *Août.*

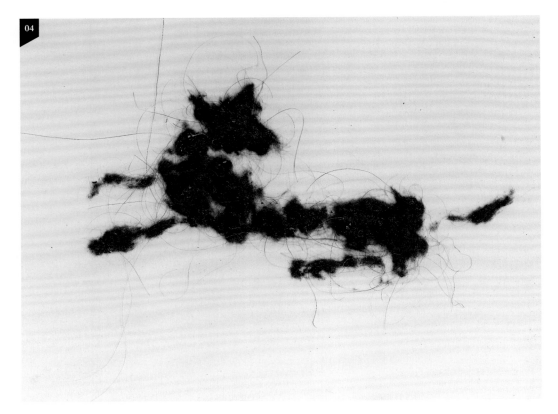

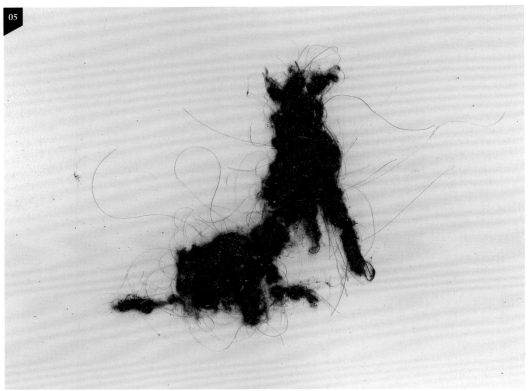

04 *Étude à la poussière II*, graphite et poussière sur papier, 2010.
05 *Étude à la poussière IV*, graphite et poussière sur papier, 2010.
06 *Hells Angels n° 1*, en collaboration avec Baptiste Debombourg,
pigeon empaillé et plumes artificielles, 2009. **07** *Hells Angels n° 1*
(détail).

Grâce à cette étrange moisson, scrupuleusement datée, l'artiste présente des débris en suspension et les enrichit ainsi d'une nouvelle matérialité ; à travers elle, la nature insaisissable du temps qui passe prend une forme sculpturale palpable. Comme Marcel Duchamp et son *Élevage de poussière*, immortalisé tel un paysage lunaire dans une photographie de Man Ray (1920), Sabatté introduit la notion de durée dans son œuvre, et l'emprisonne comme le sable dans un sablier. Outre sa dimension existentielle, c'est la texture douce et légère de ce matériau qui l'a initialement séduit. Il observait un mouton

de poussière chez lui, lorsqu'il a eu l'idée de créer un loup miniature à partir de ce mouton, de la même taille que la boule de poussière. Plus tard, il a donné forme à ses grands loups. Ce qui, au départ, était né d'un calembour est devenu un projet à plusieurs dimensions : « J'ai compris que ce jeu de mots était plus profond que je ne l'avais d'abord cru. La poussière incarne la disparition et la mort. En faire un matériau de construction était en quelque sorte un pied de nez au temps qui passe. »

Sabatté et son confrère français Baptiste Debombourg (voir page 78) partagent des préoccupations communes, qui les ont menés

à collaborer sur le projet *Hells Angels n° 1* (2009). Debombourg s'y penche sur les questions de volume et d'espace dans la sculpture ; Sabatté, sur la peinture et la variation des couleurs. Composée de pigeons tués sur les routes, empaillés puis ornés de plumes artificielles, cette œuvre, à éviter pour les âmes sensibles, nous suggère notre mortalité inévitable. Les ordures et détritus portent un stigmate qui peut déranger. En recyclant ces matériaux, Sabatté nous transmet certaines vérités écologiques élémentaires et nous rappelle que tout ce qui vit finit par mourir un jour.

Chris Silva

Installé à Chicago, Chris Silva, portoricain de naissance, a montré très tôt un intérêt pour l'art à travers sa passion pour le graffiti et le street art. Ses années de formation ont été marquées par ses expériences artistiques dans la rue, son penchant pour l'histoire de l'art du xxᵉ siècle et, plus tard, par l'enseignement théorique. Ce parcours éclectique se reflète dans sa quête insatiable d'« opportunités dans les accidents, les associations inhabituelles de matériaux, les résultats imprévisibles de collaborations et la grande aventure du processus créatif », qu'il mène au gré de commandes d'œuvre publiques, de créations murales et d'installations multimédia. S'il a une approche et un style caractéristiques, l'art est plus pour lui un moyen de penser et d'agir dans le monde qu'une pratique plastique ou stylistique.

Silva associe l'art pictural et des constructions tridimensionnelles en matériaux de récupération, notamment des objets en bois dotés d'une texture très particulière, érodée par les éléments. D'un point de vue pratique, il compare ce processus à la fabrication d'un collage surdimensionné, en trois dimensions : il assemble et visse les pièces, les peint, puis ajoute des figures découpées et des dessins. L'ensemble donne l'impression de visionner quelques secondes d'une histoire. Silva décrit l'une de ses œuvres, *Projections & Delusions* (« Projections & Illusions ») (2006), comme « un instantané d'un étrange épisode de dessin animé qui parlerait de dégradation de l'environnement, de course à l'argent et de cupidité ».

L'artiste trouve extrêmement gratifiant le recours à des matériaux de récupération et y voit une forme de jeu : « Les matériaux sont déjà pleins d'énergie, ils portent une mystérieuse histoire. Des inconnus ont participé à leur conception, choisi leurs couleurs ; peut-être d'autres personnes ont-elles vécu avec eux quelque temps. Le bois a peut-être été peint et repeint plusieurs fois ; ces couches sont exposées des dizaines d'années plus tard, à l'occasion de la démolition d'un bâtiment. Il y a aussi, bien sûr, toute la richesse et la patine supplémentaires ajoutées par les éléments. J'aime travailler dans mon atelier : les matériaux qui m'entourent sont chaleureux, ils ont un charme esthétique avant même que je les assemble pour en faire des créations individuelles. »

Silva et sa compagne Lauren ont vécu plusieurs années au bord de la mer à Porto Rico, où ils ont produit une œuvre prolifique

01 *No Snowflake in an Avalanche Ever Feels Responsible* (« Dans une avalanche aucun flocon de neige ne se sent responsable »), Walker's Point Center for the Arts, Milwaukee, États-Unis, 2006.
02 Matériaux en atelier. 03 Une création en cours. 04 *Projections & Delusions* (« Projections & Illusions »), création en cours, 2006.

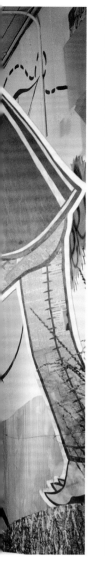

03

04

05

06

en collaboration, souvent avec des matériaux récupérés sur la plage, rejetés par la marée. Une grande installation sur une plage isolée d'Aguadilla, dont la construction a nécessité cinq jours, est leur création la plus impressionnante de cette période. Pratiquement tous les matériaux utilisés – principalement du bois flotté provenant de bateaux – ont été trouvés sur la plage. Le charme de cette installation réside notamment dans la transformation de déchets colorés dans un nouveau contexte, qu'ils décrivent comme la « métamorphose trash d'une plage, poussée à l'extrême ». Ayant laissé leur création *in situ* durant trois semaines, ils l'ont retrouvée pratiquement intacte à leur retour, c'est pourquoi ils ont décidé de la transporter chez eux.

Silva accorde beaucoup plus d'importance à la conscience collective qu'à l'ego individuel. Ainsi, la collaboration et la communauté sont les pierres angulaires de son travail. Cela se vérifie non seulement dans sa collaboration avec d'autres personnes, mais aussi dans son approche des matériaux. « Lorsque je peins la surface d'un objet, je mets un point d'honneur à laisser une partie de la surface originale exposée. En préservant l'aspect brut des objets d'origine, mes créations deviennent essentiellement des collaborations avec toutes les personnes qui ont joué un rôle dans leur vie avant qu'ils ne se retrouvent dans mon atelier. Ils sont de formidables métaphores visuelles des liens humains harmonieux que j'essaie d'encourager à ma façon un peu étrange. »

05 *Projections & Delusions* (« Projections & Illusions »), installation de rue, 2006. **06** *Open Hearts Urgery* (« Chirurgence à cœurs ouverts »), en collaboration avec Lauren Feece, The Group Group Show, Version Kunsthalle, Chicago, États-Unis, 2006. **07** *Se Cambian Que?* (« Qu'est-ce qui change ? »), bois de récupération, peinture laquée et plastique, 2005.

08 *This One Will Hold You in Her Arms, These in Their Mouths* (« Celle-ci te prendra dans ses bras, celles-là dans leur bouche »), en collaboration avec Lauren Feece, installation à partir de matériaux de récupération, Aguadilla, Porto Rico, juin 2009. **09** *Rubber Swords, Lovers & Fighters* (« Épées en caoutchouc, amants et combattants »), assemblage et peinture, exposition avec Lauren Feece, Philadelphie, États-Unis, 2010. **10** *This One Will Hold You in Her Arms, These in Their Mouths* (détail). **11** *Rubber Swords, Lovers & Fighters* (détail).

Lucas Simões

Initialement formé à l'architecture et au design, Lucas Simões est un artiste brésilien indépendant qui travaille à São Paulo. Sa formation d'architecte a redéfini sa perception de l'art et lui a donné de nouvelles pistes d'exploration. En architecture, explique-t-il, « un dessin est plus qu'un dessin : c'est l'intention de matérialiser un élément concret via un processus de construction ». Cette perspective a influencé sa technique du dessin et son approche constructive via le collage et la sculpture.

Avec une grande inventivité, Simões utilise des matériaux sources tels que des cartes, des livres et des photographies, qu'il plie, coupe et déconstruit pour leur imposer de nouvelles formes. « La matérialité du support est importante et essentielle à ma démarche, explique-t-il. Pour en faire une partie de l'œuvre, le support est soumis à une série d'expériences – brûlure, découpage, déformation, dilution – qui, dans des cas extrêmes, peuvent détruire le sujet. »

Dans une série intitulée *Unportraits* (« Non-portraits ») (2010), il a invité des amis à lui confier un secret et a capturé leur expression au moment de leur révélation. Chaque séance photo a fait l'objet de 200 à 300 photos, parmi lesquelles il a sélectionné 10 portraits différents qu'il a découpés et superposés. Les sujets devaient choisir une couleur associée à leur secret, reprise ensuite par Simões. Selon son interprétation du moment, il a créé différents types et formes de découpe pour chaque sujet. Il développe chaque création sur papier et utilise un logiciel de dessin pour les architectes (AutoCAD) afin d'obtenir plus de précision et d'organiser la superposition de l'œuvre. Il obtient ainsi une sorte de carte topographique, les couches de chaque photographie découpée ressemblant à des contours incurvés. À l'aide des dessins d'ordinateur précis, il découpe ensuite les photographies à la main avec un couteau X-Acto.

Dans cette série et une autre sur le même thème, l'œuvre finie déconstruit le visage du sujet en lanières, comme s'il était multiplié par un jeu de miroirs. Le processus de superposition permet aux images plates de devenir des objets dotés d'une profondeur labyrinthique. Outre l'exploration de l'homme comme une superposition de strates, la série *Unportraits* se penche sur l'obligation brésilienne légale de porter sur soi une pièce d'identité avec photo. Comme Simões le souligne, la photographie standard de 3 x 4 cm « ne dit rien de nous en tant qu'individus ».

01 *Estudo para 'tua paisagem'* (« Étude pour le "paysage de ton être" »), impression laser, 2010. **02** *Self-portrait* (« Autoportrait »), collage numérique, 2010. **03** *Estudo para 'tua paisagem'*, impression laser, 2010. **04, 05** *Requiem*, dix photographies en couleur découpées, série *Unportraits* (« Non-portraits »), 2010.

06 Étude pour *Unmemory* (« Non-souvenir »), dix photographies en couleur découpées, 2010. **07** Étude pour *Unmemory*, dix tirages laser découpés, 2010. **08** Étude pour *Unmemory*, dix photographies en couleur découpées et impression laser, 2010. **09** Étude pour *Unmemory*, dix photographies en couleur découpées, 2010. **10** *Adios* (« Adieu »), cendres de photographies brûlées sur un portrait à l'intérieur d'une boîte, 2010.

11 *Estudo para 'tua paisagem'* (« Étude pour le "paysage de ton être" »), impression laser, 2010. 12 *Quasi-cinema (Paradestrasse)*, photographies cousues sur tissu et bois, 2010. 13 *Quasi-cinema (Zoologischer Garten)*, photographies cousues sur tissu et bois, 2010. 14 Vue de trois créations de la série *Quasi-cinema*, photographies cousues sur tissu et bois, 2010.

Les *Unportraits*, au format 30 x 40 cm, ont été agrandis par rapport au format standard, et, par le principe des strates, l'artiste démontre que ses expériences diverses font de chaque individu une histoire unique composée de facettes différentes et innombrables.

Dans une autre série, *Quasi-cinema* (2010), Simões explore le cadrage cinématographique. Il choisit pour sujet une photographie ordinaire, puis produit de multiples copies de l'image en prenant soin de la modifier légèrement : il déplace l'image de quelques millimètres au sein du cadre afin de créer une illusion de temps et de mouvement lorsque les éléments sont disposés en séquence. Les photographies sont roulées et tissées ensemble par leurs bords horizontaux, de façon à ce que seule une partie de l'image soit visible. Elles sont ensuite fixées sur un support en bois pour former une vague d'images et créer une impression de mouvement. Ainsi, il obtient une reproduction physique du cinéma, peut-être dans l'intention de lui donner de la matérialité.

Au fil de ses nombreuses constructions, de ses travaux de superposition et de distorsion, Simões s'emploie à modifier le sens original d'un objet ou d'une image afin de proposer une nouvelle représentation qui oscille entre beauté et curiosité, entre mouvement et profondeur. « Il y a un côté un peu pervers à extirper le sens de l'objet, explique-t-il. L'étrangeté me fascine ; en faire quelque chose de beau est encore plus réjouissant. »

Yuken Teruya

Yuken Teruya est né dans un village rural d'Okinawa, l'un des archipels japonais dans l'océan Pacifique. Autrefois indépendant, le royaume d'Okinawa jouissait d'une langue et d'une religion propres, mais fut annexé et intégré au Japon au XVIIe siècle. Après la Seconde Guerre mondiale, l'île fut placée sous la tutelle des États-Unis pendant près de trente ans, et accueille encore à ce jour sur son territoire plusieurs bases militaires américaines. Bien que l'archipel fasse partie du Japon, il a préservé de nombreux artisanats et traditions du fait de son éloignement. Les techniques traditionnelles d'Okinawa, comme la peinture au pochoir sur du tissu *bingata* pour la décoration des kimonos, influencent le travail de Teruya. Sa jeunesse passée sur ces terres lui a donné la possibilité de s'inscrire dans la culture japonaise tout en l'observant avec un certain recul.

Teruya a étudié à l'université d'art de Tama, à Tokyo, ainsi qu'à la School of Visual Arts de New York. Aux États-Unis, il a été fortement marqué par la culture américaine, du graffiti à la publicité, qu'il a commencé à opposer dans ses créations aux arts traditionnels japonais comme l'origami. Ce contraste apparaît merveilleusement dans l'une de ses séries les plus célèbres, *Notice-Forest* (« Remarquez… la forêt ») (1999-) : l'artiste a découpé une forme de branche ou de feuillage sur le côté d'un sac en papier récupéré afin de permettre à la lumière de filtrer à l'intérieur comme la lumière du soleil, puis il a utilisé certaines parties découpées pour créer un arbre miniature à l'intérieur du sac, comme s'il y poussait.

Au cours de ses études à New York, il a pour la première fois remarqué l'intérieur des sacs en papier et jugé qu'ils étaient l'environnement idéal pour y ressusciter des arbres. Symboliquement, l'image rappelle au spectateur les origines du papier. Ses premières tentatives ont porté sur des sachets en papier brun, mais il a peu à peu compris qu'il obtiendrait de beaux résultats avec des sacs commerciaux de compagnies comme McDonald's, Starbucks et la société de vente aux enchères Christie's. Les coloris des sacs de fast-food et autres sachets imprimés reflètent les saisons qui passent dans la forêt ainsi que le conflit entre nature et commerce. À première vue, le sac semble porter l'arbre, alors qu'en réalité, c'est la résistance de ce dernier qui soutient le sac.

Teruya a l'œil pour détecter le potentiel des matériaux les plus modestes. Dans l'esprit

01

01 *Rain Forest* (« Forêt tropicale ») (détail), treize rouleaux de papier hygiénique, aimants et chaînes, 2006. **02** *Corner Forest* (« Forêt d'angle »), rouleaux de papier hygiénique, 2008. **03** *Corner Forest* (détail).

des songeries d'Aristote qui, à la vue d'un gland, imaginait un chêne, Teruya ne peut s'empêcher, face à un produit en papier, de se demander comment redonner artistiquement vie à l'arbre. Dans son projet *Rain Forest* (« Forêt tropicale ») (2006-), il recrée une forêt miniature en suspendant au plafond des rouleaux de papier hygiénique d'où jaillissent des branches en papier. La forme ronde du rouleau ressemble à un tronc qu'il peut modeler à loisir. La découpe du feuillage et son pliage hors du rouleau transforment ce dernier en arbre. Dans une œuvre sur le même thème, *Corner Forest* (« Forêt d'angle ») (2005-), il a découpé de délicates branches bourgeonnantes dans des rouleaux de papier hygiénique et a fixé ces derniers sur le mur à l'aide de clous

et d'aimants, de façon à ce qu'ils projettent des ombres dans l'espace de l'installation.

Si le travail de Teruya s'attaque clairement à des thèmes politiques comme le consumérisme et la mondialisation, ce ne sont pas ses seules véritables préoccupations. Outre ces réflexions éthiques, son intention est d'introduire dans le quotidien des instants d'alchimie et de magie. La récupération de matériaux courants et contemporains, familiers au spectateur, sert ce but : leur modification brise la familiarité et transforme un objet ordinaire en création extraordinaire. Dans son œuvre, Teruya allie avec élégance l'artisanat et la production en série, et nous remet subtilement en contact avec les savoir-faire et les traditions du passé.

04 *Notice–Forest* (« Remarquez… la forêt »), sac en papier de McDonald's, 2010. 05 *Notice–Forest*, sac en papier de Burger King, 2008. 06 *Notice–Forest*, sac en papier de Paul Smith, 2007. 07 *Notice–Forest*, sac en papier de Burger King (vue du dessus), 2008. 08, 09 *Green Economy* (« Économie verte »), billets de banque internationaux, commandé par le *New York Times Magazine*, 2010.

Luis Valdés

L'artiste chilien Luis Valdés, alias Don Lucho, explore nos perceptions de la normalité et s'interroge en particulier sur la distinction que nous faisons entre l'ordinaire et l'insolite. En créant des situations familières et pourtant extraordinaires, il bouleverse ces perceptions. Ces situations prennent toujours la forme d'installations, de performances ou d'interventions sculpturales, et contiennent souvent un subterfuge.

Dans l'œuvre interactive *Don Lucho's Stand* (« L'Étal de Don Lucho ») (2010), l'illusion jouait un rôle clé : sur un marché, il a monté un étal de fruits en carton, parmi d'autres étals proposant des produits réels. Le projet, déclare-t-il, est « né de l'idée de camouflage – en d'autres termes, se faire passer pour un vendeur dans le marché de fruits et légumes, et vendre ces faux fruits comme des œuvres d'art bon marché. L'idée était de tromper le spectateur quelques secondes, de lui donner l'illusion qu'il passait devant un véritable étal de fruits. »

Le choix de proposer des créations contemporaines à la vente dans ce contexte était intrigant. De telles œuvres se vendent généralement dans des galeries, à un public averti, et un marché n'est pas un lieu où l'on s'attend à trouver des collectionneurs d'art. Bien qu'il ait envisagé de ne vendre qu'une ou deux créations, plus de cent ont trouvé preneur. Plutôt que de créer de jolis fruits, d'une façon artisanale ou idéalisée, il voulait qu'ils soient appréhendés par les passants comme des objets réalistes, ordinaires, quotidiens.

Le carton séduit Valdés, qui est devenu expert dans son utilisation. Non seulement c'est un matériau peu coûteux, utilitaire et qui peut servir de toile, mais il jouit également d'une formidable polyvalence et d'une grande flexibilité. Ses textures et les plis de sa surface donnent à l'artiste un formidable champ d'expérimentation. Valdés aime la façon dont le résultat final trompe l'œil, lui présente un mirage de la réalité et a presque toujours une apparence précaire.

À une tout autre échelle, Valdés a créé une maison entière à partir de morceaux de carton récupérés dans la rue. Avec *Economy of Resources* (« Économie des ressources ») (2009), l'artiste parodie la réalité sociale de l'habitat sud-américain, représentant les immeubles construits avec des moyens de fortune et les petits espaces fragiles où les gens s'installent. La « maison en carton » offre une vision décalée de la pauvreté, surprenante et attendrissante ; le spectateur est brièvement absorbé dans un monde en fac-similé et oublie les problèmes sociaux réels de l'habitat.

01, 02, 03, 04 *Economy of Resources* (« Économie des ressources »), carton, peinture et adhésif, 2009.

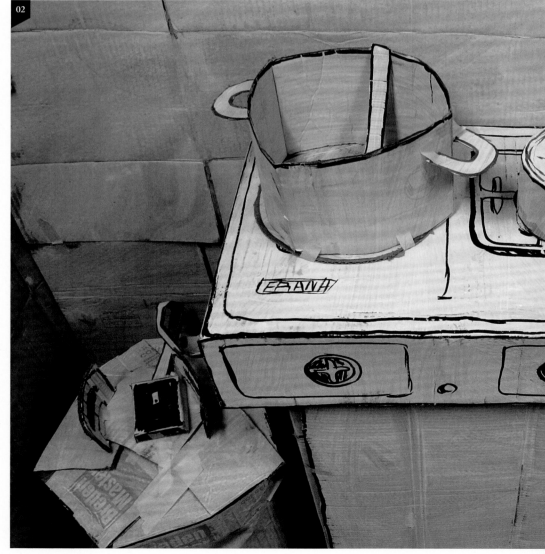

05

Néanmoins, une fois en contact avec ce travail, il perçoit vite son message sous-jacent.

Comme Valdés l'explique : « Au Chili, l'habitat a toujours posé problème, car beaucoup de gens pauvres n'ont ni maison ni argent pour payer un loyer. Ils se construisent de petites maisons en matériaux légers comme le carton, le nylon, des planches de bois légères et des bidons pour s'installer dans des campements de fortune, les *poblaciones callampas*. Au bout de plusieurs années de protestation, certains obtiennent du gouvernement la construction d'une maison

subventionnée, et sont placés en attendant dans des logements provisoires en bois, dont les dimensions sont semblables à celles de ma maison en carton. L'attente devient souvent interminable en raison de la lenteur bureaucratique de notre système. Des familles entières sont condamnées à vivre dans de minuscules logements pendant plusieurs années. Avec le temps, elles les personnalisent et en font des espaces chaleureux, dotés d'une véritable identité. Cette réalité existe au Chili et dans la plupart des pays d'Amérique latine, et touche les autres continents. »

Pour doter lui aussi les pièces de sa maison d'une personnalité, Valdés a conçu des copies en carton d'objets personnels : ses vêtements, sa planche de skate… L'installation présente une vision monochromatique, car la maison est aux yeux de Valdés un croquis en trois dimensions – une fragile esquisse qui ne saurait être habitée. Cette esthétique rudimentaire traduit de manière frappante la fragilité des *poblaciones callampas* et de leurs occupants.

06

PAN CHOCOSITO

05, 06 *Don Lucho's Stand* (« L'Étal de Don Lucho »), carton, peinture et adhésif, 2010.

Felipe Yung

Felipe Yung, alias Flip, produit des créations calligraphiques, des peintures combinant différentes disciplines, et des installations liées à des sites particuliers. Cet artiste brésilien, qui a débuté sa carrière comme auteur de graffiti à São Paulo au début des années 1990, a été le premier de sa génération à y intégrer des caractères et formes abstraites plutôt que de se contenter des lettres traditionnelles des graffitis. Il a élaboré un style inimitable de personnages, qu'il appelle les *Flipitos* (« petits Flips »), exécutés à la va-vite sur fond de peinture « dégoulinante ». Ces motifs sympathiques et amusants sont apparus en ville et sont en quelque sorte devenus la mascotte du quartier de Vila Mariana.

La culture et la philosophie orientales imprègnent fortement l'œuvre de cet artiste. La ville cosmopolite de São Paulo accueille la plus grande communauté japonaise hors du Japon, à l'origine d'une longue lignée d'artistes brésilo-japonais. Le style et la technique de Yung tirent parti de ses connaissances de l'art japonais pour explorer des disciplines traditionnelles comme le tissage, la calligraphie et l'art érotique shunga, ainsi que des styles contemporains comme le manga et le mouvement Superflat, fondé par l'artiste Takashi Murakami.

En 2003, Yung a cofondé Most, première galerie de São Paulo à promouvoir l'art urbain. Il a d'abord appliqué ses savoir-faire à des objets commerciaux dans la mode et d'autres secteurs, et exploré ses idées dans le cadre de galeries à travers des toiles, des objets et des installations. Il a également intégré le bois de récupération (vieilles boîtes et palettes) comme matériau de construction et base de ses créations. Le bois est depuis devenu un thème fort de sa production, en tant que concept et matériau doté d'une texture forte. « Le bois est un support brut fantastique, explique-t-il ; ses textures et motifs naturels complètent mon travail. »

Yung s'inspire de la nature. Il s'intéresse notamment aux arbres endémiques du Brésil, qui embellissent l'espace urbain, qu'ils soient en fleur ou que leurs racines jaillissent du goudron. Yung reprend les caractéristiques d'arbres de la région comme le jaboticaba et le jacaranda pour composer des motifs abstraits, de camouflage par exemple, à coups de pinceau fluides. Arbres, branches et racines sont autant de motifs graphiques qu'il reprend symboliquement dans ses peintures. Il étudie aussi les arbres via la photographie et emploie des photos comme références dans

01, 02 Arbres typiques du Brésil, photographies de référence.
03 *Pau Malandro* (« Bois voyou ») (détail), peinture sur cabane en bois, Barra da Lagoa, Florianópolis, Brésil, 2009. **04** *Entranhas* (« Entrailles ») (détail), peinture sur bois trouvé, 2010.

ses peintures. L'artiste cite sa rencontre avec l'ayahuasca, une boisson hallucinogène à base d'écorce d'une liane tropicale du même nom, comme un moment qui a compté dans sa démarche artistique : cette expérience aurait ouvert son esprit et lui aurait permis de voir différemment les formes naturelles.

Yung établit de profondes relations entre la faune et la flore. Sa fascination toujours intacte pour la nature s'étend à ses relations et parallèles avec l'homme. Il compare notamment la sève, qui transporte l'eau et les nutriments dans une plante, au sang qui coule dans nos veines. Ses personnages revêtent des qualités appartenant aux deux mondes. Le travail créatif de Yung, issu de l'art urbain et de l'illustration de personnages, est à la fois figuratif et abstrait, animé par une énergie spontanée. Yung s'en remet à son intuition pour tisser des liens entre nature, culture pop contemporaine et art traditionnel.

05 *Gotas de Buda* (« Gouttes de Bouddha »), peinture acrylique sur bois trouvé, 2010. **06** *Poda Forçada* (« Élagage forcé »), peinture acrylique sur bois trouvé, 2010. **07** *Graviola in Praia Seca* (« Corossol (fruit) sur la Praia Seca »), peinture acrylique sur cabane en bois, Praia Seca, Rio de Janeiro, Brésil, 2008.

Carlos Zúñiga

Une toile vierge peut effrayer un artiste, son vide et sa stérilité bloquer la création ; à l'inverse, une surface préexistante ou un ready-made porte déjà en lui un caractère ou une histoire qui peut inspirer de nouvelles idées. S'il existe un artiste capable de transformer un objet du quotidien en une création inédite extraordinaire, c'est bien le Chilien Carlos Zúñiga. Selon un procédé méticuleux de rature, il métamorphose avec son style inimitable des pages de livres et d'annuaires en portraits et paysages incroyables.

Zúñiga est architecte et photographe de formation ; il a également travaillé dans la conception éditoriale et graphique avant de se lancer dans les arts. Sa polyvalence a naturellement influencé son approche esthétique, tandis que son expérience éditoriale lui a permis de découvrir les rouages de l'édition et le processus de sélection qui détermine quelle part d'un texte est rendue publique et quelle part est supprimée. Ses premières œuvres, à forte dimension politique, reflètent l'histoire récente du Chili. Après de nombreuses années sous le joug de la dictature d'Augusto Pinochet, ce pays doit assumer plusieurs décennies perdues de répression et de censure. Cette réalité est particulièrement visible dans son œuvre d'art vidéo, *The Origin of Species* (« L'Origine des espèces ») (2006) : une main est filmée en train de barrer ligne après ligne, page après page, de façon pratiquement rituelle, le texte emblématique et autrefois controversé de Charles Darwin. Cette création, qui préfigure les travaux ultérieurs de Zúñiga, fait clairement allusion à la liberté et à la privation de liberté, à la fois politique et intellectuelle.

L'artiste a par la suite adapté son procédé de suppression de texte pour créer des images picturales. L'idée de sa première série de portraits – *Next* (« À suivre »), 2007 –, pour laquelle il a créé 135 portraits de jeunes gens de sa ville natale, Santiago du Chili, lui est venue en observant des Chiliens envahir les rues à l'annonce de la mort de Pinochet. Il a en particulier été marqué par la vision des familles d'hommes et de femmes disparus sous la dictature qui défilaient en brandissant leurs photos. Sur une grille de pages sélectionnées dans des annuaires téléphoniques locaux, chaque portrait est révélé en supprimant des mots de façon systématique, ce qui crée un effet vivant mais hachuré. « Cela nous arrive à tous de prendre un crayon pour barrer ou corriger nos erreurs, explique l'artiste. C'est une forme

01 *Pablo Serra* (détail de l'œil), peinture acrylique sur annuaire téléphonique, série *Beginning of the Aura* (« Début de l'aura »), 2010.
02 *San Carlos* (détail des oiseaux), encre sur annuaire téléphonique argentin, série *Imperial Poem* (« Poème impérial »), 2010.
03 L'artiste au travail.

04

d'autocensure qui laisse une trace inconsciente, à travers laquelle nos sentiments douloureux peuvent se réinviter. » De façon saisissante, cette démarche graphique évoque visuellement la censure et les victimes disparues du régime.

Zúñiga a repris ce procédé dans une nouvelle série produite à plus grande échelle, où des corps flottants anonymes sont représentés immergés dans l'eau. Son titre – *Detained in Apnea* (« Maintenu en apnée »), 2007 – renvoie non seulement à la condition humaine, condamnée à être un jour privée de souffle, mais aussi à la pratique des dictatures, qui se débarrassent de leurs cadavres dans l'océan. Il s'est ensuite attaqué à une série de portraits en grand format et en couleur, sur une grille composée de pages d'annuaires téléphoniques, *Beginning of the Aura* (« Début

de l'aura ») (2010) ; à la place du noir, l'artiste a barré les mots avec du rouge, du vert et du bleu.

Récemment, Zúñiga s'est intéressé aux paysages. Pour *Imperial Poem* (« Poème impérial ») (2010), il a photographié le paysage déchiqueté des Malouines et les habitants de ces îles, puis a appliqué sa technique de la rature sur une grille de pages d'annuaires téléphoniques de Buenos Aires, pour engendrer de nouvelles visions : les paysages prennent une nouvelle texture, les lignes imitent les rayures et hachures croisées dans la roche, sur la mer et les autres surfaces. S'il n'y a pas d'allusion directe à la guerre des Malouines, l'aspect désolé des images et le processus qui consiste à barrer des noms pour révéler ces dernières évoquent le souvenir des personnes qui ont perdu la vie dans les deux camps.

04 *Dia 5* (« Jour 5 »), encre sur annuaire téléphonique, série *Detained in Apnea* (« Maintenu en apnée »), 2007. 05 *Dia 4* (« Jour 4 »), encre sur annuaire téléphonique, série *Detained in Apnea*, 2007.

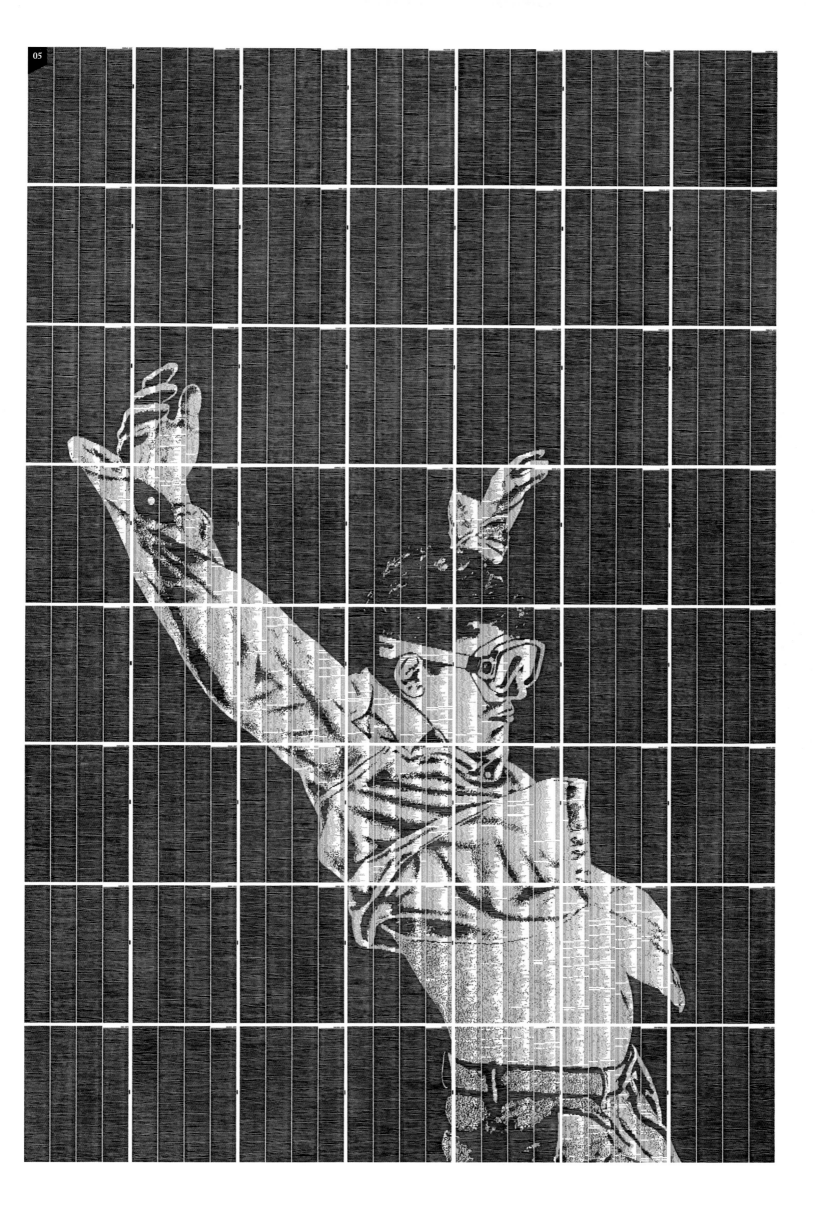

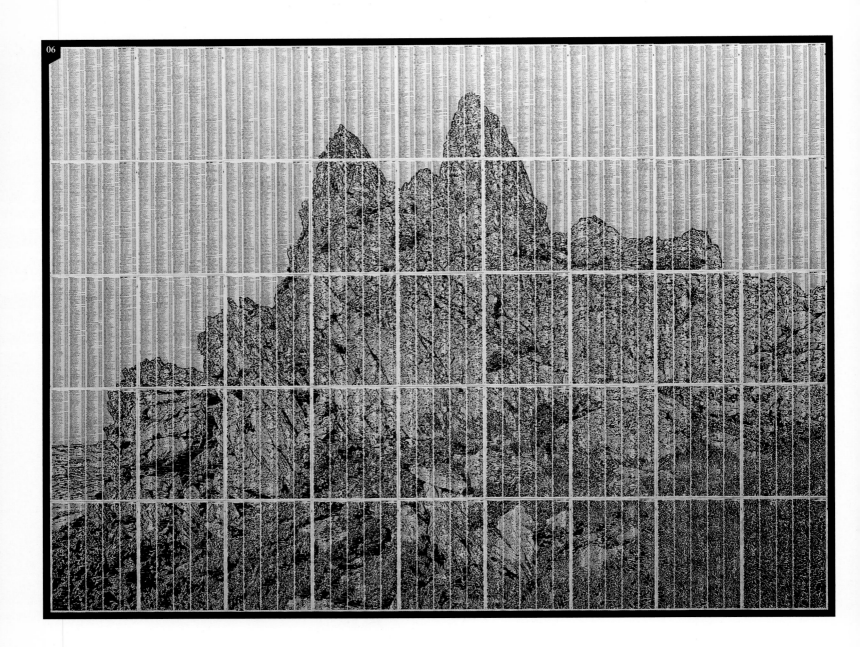

06 *Stone Runs Cat* (« La pierre poursuit le chat »), encre sur annuaire téléphonique argentin, série *Imperial Poem* (« Poème impérial »), 2010. **07** *Portrait 5*, encre sur annuaire téléphonique argentin, série *Imperial Poem*, 2010. **08** *Portrait 12*, encre sur annuaire téléphonique argentin, série *Imperial Poem*, 2010. **09** *Portrait 7*, encre sur annuaire téléphonique argentin, série *Imperial Poem*, 2010. **10** *Portrait 6*, encre sur annuaire téléphonique argentin, série *Imperial Poem*, 2010.

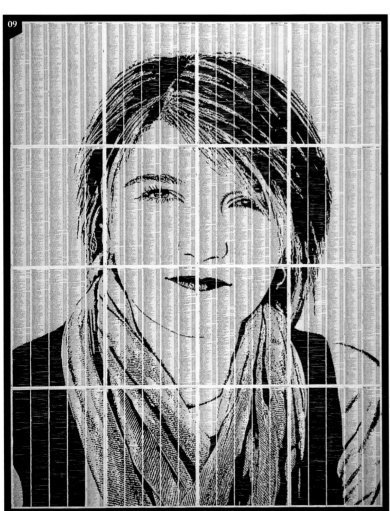

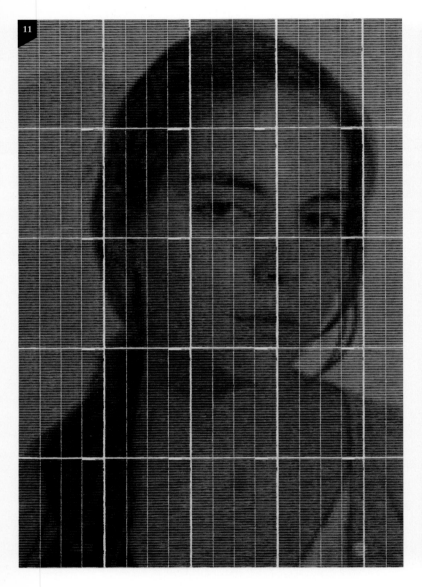

11 *Milena Gröpper*, peinture acrylique sur annuaire téléphonique,
série *Beginning of the Aura* (« Début de l'aura »), 2010. **12** *Kristian
Jones*, peinture acrylique sur annuaire téléphonique, série *Beginning
of the Aura*, 2010. **13** *Daniela Kovacic*, peinture acrylique sur
annuaire téléphonique, série *Beginning of the Aura*, 2010.

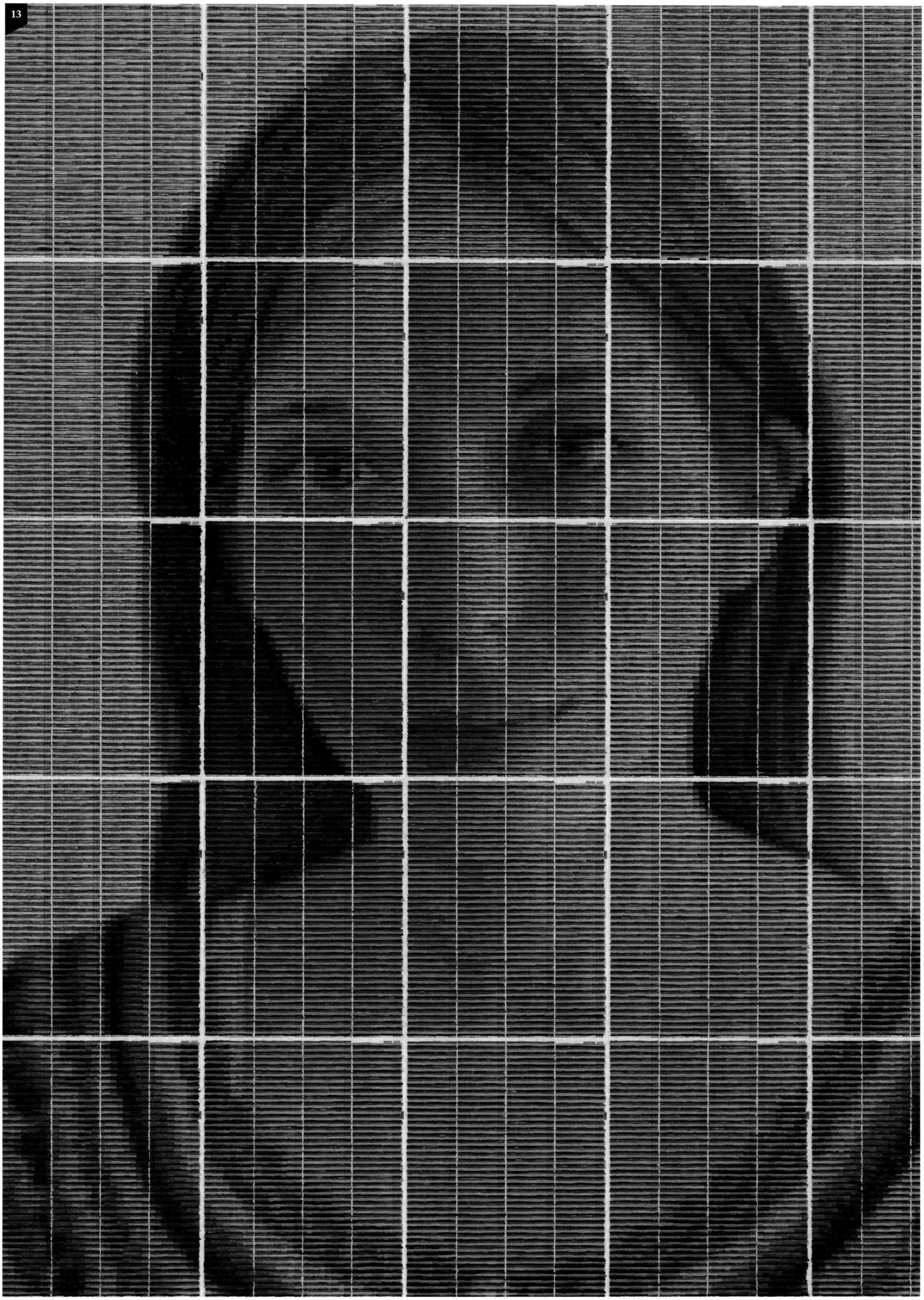

Crédits iconographiques

Introduction

01 Michael Johansson, *Self Contained*, conteneurs, caravane, tracteur, Volvo, palettes et réfrigérateurs, 8,2 × 10,8 × 2,4 m, 2010. **02** Henrique Oliveira, création en cours, 2008. **03** Gabriel Dawe, *Plexus no. 2 (relics): convergence*, fil provenant d'une installation à la Conduit Gallery (avril-juin 2010), Dallas, États-Unis, et plexiglas, 260 × 260 × 270 cm, 2011. **04** Robert Bradford, matériaux, 2010. **05** Monica Canilao. Photographie de Tod Seelie. **06** Maria Nepomuceno, *Sans titre*, cordes cousues, bois, paille et perles, 490 × 245 × 170 cm, 2008. Copyright Maria Nepomuceno. Reproduit avec l'aimable autorisation de la Victoria Miro Gallery, Londres. **07** Maria Nepomuceno, *Sans titre*, cordes cousues et céramique, 140 × 100 × 70 cm, 2008. Copyright Maria Nepomuceno. Reproduit avec l'aimable autorisation de la Victoria Miro Gallery, Londres. **08** Gabriel Dawe, *Plexus no. 3*, fil Gütermann, bois et clous, 370 × 180 × 490 cm, GuerillaArts, Dallas, États-Unis, 2010. **09** Luiz Hermano, *Horto*, résine et fil de fer, 85 × 80 cm, 2010. **10** Monica Canilao, *Gilded Rook*, 2010. **11** Peter Callesen, *Impenetrable Castle II*, papier de 80 g/m^2 sans acide au format A4 et colle, 2005. Photographie d'Anders Sune Berg. **12** Brian Dettmer, *Mound 2*, livre altéré, 28 × 21 × 13 cm, 2008. Reproduit avec l'aimable autorisation de l'artiste et Kinz + Tillou Fine Art, New York. **13** Brian Dettmer, *Raphael*, livre altéré, 38 × 29 × 6 cm, 2008. Reproduit avec l'aimable autorisation de l'artiste et Kinz + Tillou Fine Art, New York. **14** Carlos Zúñiga, *Dia 2*, encre sur annuaire téléphonique, série *Detained in Apnea*, 224 × 134 cm, 2007. **15** Luzinterruptus, *A Cloud of Bags Visits the Prado*, quatre-vingts sacs de courses en plastique, LED et supports, 2009. **16** Elfo, *!!!!!!!!!*, 2010. **17** Elfo, *Clones*, 2010. **18** Florentijn Hofman, *The Giant of Vlaardingen*, bois de récupération, clous et vis, 8 × 10,5 × 5,5 m, 2002-2003. **19** Zadok Ben-David, *Sunny Moon*, acier Corten, 2008. **20** Elfo, *I'm Going to Fuck Vincent*, 2010. **21** Faile, *Prayer Wheel*, peinture acrylique sur bois de merbau sculpté à la main monté sur support en acier, 2008. **22** Sayaka Kajita Ganz, *Emergence* (*Wind*), objets trouvés (principalement en plastique blanc et transparent), 160 × 198 × 66 cm, 2008. **23** Sayaka Kajita Ganz, *Deep Sea*, objets trouvés (principalement en plastique bleu et vert), 81 × 107 × 71 cm, 2007. **24** Faile, *Block Paintings* (détail), peinture sur bois, 2010. **25** Baptiste Debombourg, *Arc de Triomphe*, boîtes en carton, colle, ficelle et ruban adhésif, 530 × 450 × 200 cm, 2001. **26** Baptiste Debombourg, *Polybric*, jouets FRYD (490 pièces), 36 × 60 × 42 cm, 2002. **27** Felipe Barbosa, *Condominio Volpi*, peinture acrylique sur bois, Centro Municipal de Arte Hélio Oiticica, Rio de Janeiro, Brésil, 2010. **28** Michael Johansson, *Packa Pappas Kappsäck*, valises, 100 × 120 × 100 cm, 2006. **29** Hiroyuki Hamada, *#55*, émail, huile, plâtre, goudron et cire, 112 × 61 × 32 cm, 2005-2008. **30** AJ Fosik, *As Good as Any God* (*Aussi bon que n'importe quel dieu*), bois, peinture et clous, 2009. **31** Haroshi, *Apple*, skateboards recyclés, 2010. **32** Ron Van der Ende, *s.t. (Wood Stack)*, bas-relief en bois d'œuvre récupéré, 165 × 106 × 14 cm, 2011. **33** Jae-Hyo Lee, *0121-1110 = 1090312*, bois, 130 × 130 × 600 cm, 2009. **34** Henrique Oliveira, *Tapumes*, bois, 4,7 × 13,4 × 2 m, Rice Gallery, Houston, États-Unis, 2009. Photographie de Nash Baker.

Felipe Barbosa

01 Créations en cours, piles et résine. **02** Exposition *Imperfect Math*, Centro Municipal de Arte Hélio Oiticica, Rio de Janeiro, Brésil, 2010. **03** *Rio de Janeiro's Long-Term Consumption Map* (détail), carte statistique obtenue à partir de capsules de bouteille collectées dans la ville, 200 × 300 cm, 2001-2010. **04** *Sans titre*, cinq ballons reliés, 22 × 22 × 110 cm, 2008. **05** *Cubic IV*, panneau de ballons de football cousus ensemble, 165 × 235 cm, 2008. **06** *Cubic Ball*, panneau de ballons de football cousus ensemble, 165 × 212 cm, 2008. **07** *Branding Iron*, fer pour le marquage du bétail avec logo Nike, 13 × 5 × 60 cm, 2006. **08** *Cow Ball*, ballon en cuir de vache, 22 × 22 × 22 cm, 2005.

Andrés Basurto

01 L'artiste au travail. **02** *Azul*, verre brisé et mastic époxy, 17,8 × 20,3 × 15,2 cm, 2011. **03** *Verde*, verre brisé et mastic époxy, 15,2 × 12,7 × 20,3 cm, 2011. **04** Création en cours. **05** *Victoria II*, verre brisé et mastic époxy, 15,2 × 17,8 × 20,3 cm, 2011.

Zadok Ben-David

01 *Leftover*, acier Corten, 367 × 84 × 16 cm, Chatsworth Estate, Derbyshire, Royaume-Uni, 2010. Photographie de Barnaby Hindle. Reproduit avec l'aimable autorisation de Sotheby's, Londres. **02** *Blackfield*, 12 000 fleurs en inox peintes à la main, dimensions diverses, Shoshana Wayne Gallery, Santa Monica, États-Unis, 2009. Photographie de Gene Ogami. **03** *Blackfield*, 11 000 fleurs en inox peintes à la main, dimensions diverses, Biennale de Singapour, Singapour, 2008. Photographie de Russel Wong. **04** *Blackfield* (détail). Photographie de Murray Fredericks. **05** *Blackfield* (détail). Photographie de Rana Begum. **06, 07** *Innerscape on the Move*, acier Corten, 90 cm de haut, 11,5 m de diamètre, Chatsworth Estate, Derbyshire, Royaume-Uni, 2008. Photographie de Heath Cooper / Rolant Dafis. Reproduit avec l'aimable autorisation de Sotheby's, Londres. **08** *For Is the Tree of the Field Man*, acier Corten, 650 × 650 × 70 cm, musée Yad Vashem, Jérusalem, 2003. Photographie d'Avi Hai. Reproduit avec l'aimable autorisation du musée Yad Vashem, Jérusalem.

Robert Bradford

01 *Sniff Without (Guns or Barbies)* (détail), 2010. **02** L'atelier de l'artiste, 2010. **03** *Sniff Without (Guns or Barbies)* en cours de construction, 2010. **04** Boîtes de matériaux, 2010. Photographie de Tristan Manco. **05** *Pug One*, jouets sur bois, 60 cm de haut, 2009. **06** *Terrierist*, jouets et pinces à linge sur bois, 60 cm de long, 2008. **07** *Dark Sniff*, jouets sur bois, 110 cm de long, 2010. **08** *Foo Foo*, jouets sur bois, 100 cm de haut, 2008. **09** *Mini Dog*, jouets sur bois, 60 cm de long, 2008. **10** *Fairy Nuff One*, parties de coiffure de Barbie reconstituées, jouets, pinces à linge et paillettes, 2011. **11** *Toy Girl*, jouets sur bois, 175 cm de haut, 2009. **12** *Sniff Without* (*Guns or Barbies*), 110 cm de long, 2010. **13** *Pistol*, jouets sur bois, 50 cm de long, 2011.

Peter Callesen

01 *Fall*, papier de 140 g/m^2 sans acide, 240 × 210 × 70 cm. Photographie d'Adam Reich. **02** *Distant Wish II*, papier au format A4 de 115 g/m^2 sans acide et colle, 2008. **03** *Gennemsigtig Gud*, papier de 140 g/m^2 sans acide et colle, 350 × 450 × 170 cm, 2009. Photographie d'Anders Sune Berg. **04** *Holding on to Myself*, papier au format A4 de 80 g/m^2 sans acide, peinture acrylique et cadre en chêne, 47,5 × 37 × 7 cm, 2006. Photographie d'Anders Sune Berg. **05** *The Core of Everything III*, papier au format A4 de 115 g/m^2 sans acide, peinture acrylique et cadre en chêne, 47,5 × 37 × 7 cm, 2008. Photographie d'Adam Reich. **06** *Hanging Image*, papier de 120 g/m^2 sans acide, aquarelle, crayon, colle et cadre en chêne, 139 × 107 × 13 cm, 2008. Photographie d'Anders Sune Berg. **07** *Cowboy*, papier au format A4 de 115 g/m^2 sans acide, peinture acrylique et cadre en chêne, 53 × 40,5 × 7 cm, 2006. **08** *Snowballs II*, papier au format A4 de 115 g/m^2 sans acide et colle, 2006. Photographie d'Anders Sune Berg. **09** *Birds Trying to Escape their Drawings*, papier de 115 g/m^2 sans acide et colle, 90 × 128 × 6 cm, 2005.

Monica Canilao

01, 02, 03 L'atelier de l'artiste. Photographies de Tod Seelie. **04, 05, 06, 07, 08** *Powerhouse Project*, divers objets récupérés, Detroit, États-Unis, 2010. Photographies de Tod Seelie. **09** *Doe*, techniques mixtes (série de portraits), 2010. **10** *Sans titre*, techniques mixtes (série de portraits), 2010. **11** *Lost Boy*, techniques mixtes (série de portraits), 2010. **12** *Veil of Salt*, techniques mixtes (série de portraits), 2010. **13** *Forget Me* (*Oublie-moi*), techniques mixtes (série de portraits), 2010. **14** *When this smog clears from our throats we will still be in love with the same things*, collage de techniques mixtes. **15** *Owned Worker*, collage de techniques mixtes. **16** *Stranded, Saved* (détail), collage de techniques mixtes.

Klaus Dauven

01, 02 Création en cours, barrage de Matsudagawa, préfecture de Tochigi, Japon, 2008. **03** *Hanazakari*, barrage de Matsudagawa, préfecture de Tochigi, Japon, 2008. **04** Création en cours. **05** *Wild-Wechsel*, 282 × 54 m, barrage d'Oleftal, Hellenthal (Eifel), Allemagne, 2007. **06** *Panorama*, 83 × 736 cm, Düren, Allemagne, 2006. **07** *Lido III*, crasse appliquée sur des torchons cousus ensemble, puis partiellement retirée avec un nettoyeur à haute pression Kärcher, et pochoir, 195 × 170 cm, 2010. **08** *Lido III*, crasse appliquée sur des torchons cousus ensemble, puis partiellement retirée avec un nettoyeur à haute pression Kärcher, et pochoir, 97 × 97 cm, 2010.

Gabriel Dawe

01 *Plexus no. 4*, fil Gütermann, bois et clous, 340 × 760 × 760 cm, Dallas Contemporary, Dallas, États-Unis, 2010. **02** *Plexus no. 4* (détail). **03** Matériaux en atelier. **04** *Plexus no. 4* (détail). **05, 06** *Plexus no. 3*, fil Gütermann, bois et clous, 370 × 180 × 490 cm, GuerillaArts, Dallas, États-Unis, 2010. **07, 08** *Plexus no. 3* (création en cours). **09** *Plexus no. 4* (création en cours).

Baptiste Debombourg

01 *Air Force One*, 35 000 agrafes sur un mur, série *Aggravure*, 2007-2009. **02** Air Force One (détail). **03** *La Redoute*, catalogues La Redoute sous plexiglas, dimensions diverses, 2005. **04** *La Redoute* (détail). **05** *Sans titre avec seau*, seau en plastique avec pare-brise d'automobile, dimensions diverses, galerie Patricia Dorfmann, Paris, France, 2009-2010. **06** *Turbo*, bois, dimensions diverses, galerie Patricia Dorfmann, Paris, France, galerie HO, Marseille, France, et Galerija10m², Sarajevo, Bosnie-Herzégovine, 2007-2009. **07** *Crystal Palace* (*Palais de cristal*), structure métallique, verre feuilleté, verre de sécurité et colle UV, 270 × 500 × 150 cm, 2008. **08** *Reach Within Shape the Future*, série *Social Philosophy*, 2008. **09** *Mon ex-femme m'a piqué mon ex-pognon*, série *Social Philosophy*, 2008. **10** *Believable*, série *Social Philosophy*, 2008. **11** *Winner Takes Nothing*, série *Social Philosophy*, 2008.

Brian Dettmer

01, 02, 03, 04 L'atelier de l'artiste. **05** *History of the World*, livre altéré, 25,37 × 18,5 × 4,75 cm, 2010. **06** *Motion and Time Study*, livre altéré, 23 × 20 × 4 cm, 2009. Reproduit avec l'aimable autorisation de l'artiste et de la Packer Schopf Gallery, Chicago. **07** *Totem*, ensemble d'encyclopédies classiques altérées, 68 × 57 × 26 cm, 2010. Reproduit avec l'aimable autorisation de l'artiste et de la MiTO Gallery, Barcelone. **08** *World Series*, livres altérés, 41 × 67 × 26 cm, 2009. Reproduit avec l'aimable autorisation de l'artiste et de Kinz + Tillou Fine Art, New York. **09** *Webster Withdrawn*, livre altéré, 30 × 42 × 34 cm, 2010. Reproduit avec l'aimable autorisation de l'artiste et de la MiTO Gallery, Barcelone.

Elfo

01, 02 *Packed Food for Vulture$* (performance), 2010. **03** *Bonsai Liberation Front*, peinture sur mur. **04** *I Trust in Swedish Design*, peinture sur carton.

Ron Van der Ende

01, 02 L'atelier de l'artiste. **03** *727*, bas-relief en bois d'œuvre récupéré, 2008. **04** *Axonometric Array*, bas-relief en bois d'œuvre récupéré, dimensions diverses, 2008. **05** *Ørnen*, bas-relief en bois d'œuvre récupéré, 120 × 170 × 16 cm, 2007. **06** *Grytviken*, bas-relief en bois d'œuvre récupéré, 150 × 95 × 12 cm, 2007. **07, 08** L'atelier de l'artiste. **09** L'artiste au travail. **10** *Euromast*, bas-relief en bois d'œuvre récupéré, 205 × 182 × 16 cm, 2005. **11, 12** L'atelier de l'artiste. **13** Matériau de référence. **14** L'atelier de l'artiste. **15** *Silver Machine (Lotus Turbo Esprit 1983)*, bas-relief en bois d'œuvre récupéré, 185 × 106 × 14 cm, 2007. **16** *Still Life*, bas-relief en bois d'œuvre récupéré, 180 × 102 × 12 cm, 2010.

Faile

01 *Block Paintings* (en cours de construction), 2010. **02** *Prayer Wheels* (en cours de construction), 2008. **03** L'atelier de l'artiste, 2010. **04** *Prayer Wheels* (en cours de construction), peinture acrylique sur bois de merbau sculpté à la main monté sur un support en acier, 2008. **05** *Block Paintings* (détail), peinture et sérigraphie sur bois. **06, 07** *Faile Tower*, peinture et sérigraphie sur bois, exposition *Bedtime Stories* à la Perry Rubenstein Gallery, New York, États-Unis, 2010. **08** *Block Paintings* (détail), peinture et sérigraphie sur bois. **09, 10** *Prayer Wheels*, peinture acrylique sur bois de merbau sculpté à la main monté sur support en acier, 2008. **11** *Prayer Wheel*, peinture acrylique sur bois de merbau sculpté à la main monté sur support en acier, exposition *Lost in Glimmering Shadows*, Lazarides, Londres, Royaume-Uni, 2008. **12** *Prayer Wheel*, peinture acrylique sur bois de merbau sculpté à la main monté sur support en acier, 2008.

Rosemarie Fiore

01, 02, 03 L'artiste au travail sur la série *Firework Drawings*, 2009. **04** *Firework Drawings* en cours de création, 2009. **05** *Firework Drawing #12*, résidus de feux d'artifice allumés, collage sur papier Fabriano, 150 × 211 cm, 2009. Reproduit avec l'aimable autorisation de Priska C. Juschka Fine Art, New York. **06** *Firework Drawing #32* (détail), résidus de feux d'artifice allumés sur papier, 145 × 195,5 cm, 2010. Reproduit avec l'aimable autorisation de Priska C. Juschka Fine Art, New York. **07** *Firework Drawing #6* (détail), résidus de feux d'artifice allumés sur papier, 209 × 167,5 cm, 2009. **08** *Firework Drawing #25*, résidus de feux d'artifice allumés sur papier, 139 × 104,5 cm, 2009. **09** *Good-Time Mix Machine*, attraction « Scrambler » de la compagnie Eli Bridge (1964), groupe électrogène, compresseur, seau, peinture acrylique sur vinyle et caméra vidéo, 18,25 × 18,25 m, série *Scrambler Drawings*, Grand Arts, Kansas City, États-Unis, 2004. Photographie d'E.G. Reproduit avec l'aimable autorisation de Priska C. Juschka Fine Art, New York. **10** *Good-Time Mix Machine*, peinture acrylique sur vinyle et projections vidéo, 18,25 × 18,25 m, série *Scrambler Drawings*, Queens Museum of Art, New York, États-Unis, 2004. Photographie de Stefan Hagen. Reproduit avec l'aimable autorisation de Priska C. Juschka

Fine Art, New York. **11** *Good-Time Mix Machine*, Grand Arts, Kansas City, États-Unis, 2004. Photographie d'E.G. Reproduit avec l'aimable autorisation de Priska C. Juschka Fine Art, New York. **12** *Good-Time Mix Machine*, Queens Museum of Art, New York, États-Unis, 2004. Photographie de Stefan Hagen. Reproduit avec l'aimable autorisation de Priska C. Juschka Fine Art, New York.

AJ Fosik

01 Des centaines de pièces en bois, façonnées individuellement, sont utilisées dans la construction de chaque œuvre. **02, 03** Peinture et pochoirs dans l'atelier de l'artiste. **04** *Ursine Brawl*, bois, peinture et clous. **05** *Two-Headed Tiger*, bois, peinture et clous, 2010. **06** L'artiste présente l'une de ses créations, 2010. **07** *One Hundred Percent Savage*, bois, peinture et clous, 2009. **08** *The Third Way Out*, bois, peinture et clous, 213 × 91 × 91 cm, 2009.

Fumakaka

01, 02 *Monster*, Lima, Pérou, 2011. **03** *Demolition Portal*, peinture, 2008. **04** *Devil*, matériaux récupérés, 2009. **05** *Presence in the House*, matériaux récupérés, 2010. **06, 07** *Death Trash*, installation en cours de construction (en haut) et achevée (en bas), matériaux de récupération, 2008. **08, 09** *Bastard Salvation*, installation en cours de construction (en haut) et achevée (en bas), matériaux de récupération, 2008.

Sayaka Kajita Ganz

01 *Japonica*, objets trouvés (principalement en plastique blanc), 91 × 69 × 79 cm sans socle, 2007. **02** L'artiste au travail. **03** *Emergence (Wind)*, objets trouvés (principalement en plastique blanc et transparent), 160 × 198 × 66 cm, 2008. **04** *Emergence*, 2008. Installation à deux éléments : *Night*, objets trouvés (principalement en plastique noir et transparent), 183 × 127 × 43 cm ; *Wind*, objets trouvés (principalement en plastique blanc et transparent), 160 × 198 × 66 cm.

José Enrique Porras Gómez

01, 02 L'artiste au travail. **03** *Productos de exportación*, cageots en bois gravés, 2008. **04** *Productos de exportación*, cageots en bois gravés et gravure sur bois, 2008. **05, 06** *Ola ganando espacio* en cours de construction, 2010. **07** *Ola ganando espacio*, bois, clous et encre, 2010. **08** *Ola ganando espacio*, frottage sur papier, 2010.

Hiroyuki Hamada

01 *#63*, toile de jute, émail, huile, plâtre, résine, goudron, cire et bois, 114 × 102 × 61 cm, 2006-2010. **02** *#45*, toile de jute, émail, huile, plâtre, résine, solvants, goudron et cire, 51 × 64 × 64 cm, 2002-2005. **03** *#45* (détail). **04** *#47*, toile de jute, émail, huile, plâtre, résine, solvants, goudron et cire, 94 cm de diamètre × 15 cm, 2002-2005. **05** *#35*, toile de jute, émail, huile, plâtre, goudron et cire, 97 × 91 × 4 cm, 1998-2001. **06** Une création en cours, composée de mousse, bois et toile de jute. **07** Travail en cours : une couche de plâtre est appliquée à la structure. **08** Matériaux en atelier. **09** Une création en cours, composée de mousse et de bois. **10, 11** Des perceuses électriques (à gauche) sont utilisées par l'artiste pour créer des textures (à droite). **12** *#53*, émail, huile, plâtre, goudron et cire, 97 cm de diamètre × 37 cm, 2005-2008. **13** *#59* (détail), émail, huile, plâtre, goudron et cire, 51 cm de diamètre × 91 cm, 2005-2008. **14** (à gauche) *#52*, émail, huile, plâtre, goudron et cire, 64 cm de diamètre × 48 cm, 2005-2008 ; (à droite) *#59*. **15** *#56*, émail, huile, plâtre, goudron et cire, 105 × 105 × 19 cm, 2005-2010.

Haroshi

01 Skateboards usés, 2009. **02** L'atelier de l'artiste, 2009. **03** Sculptures *Apple* en cours de construction, 2009. **04** *Big Apple*, skateboards usés, 24 × 21 × 21 cm, 2011. **05** *Fire Hydrant*, skateboards usés, 84 × 36 × 38 cm, 2011. **06** *Screaming my Foot*, skateboards usés, 2010. **07** *Screaming my Hand*, skateboards usés, 2010.

Valerie Hegarty

01 *Autumn on the Hudson Valley with Branches*, fibre de verre, tringle en aluminium, résine époxy, contreplaqué traité, vinyle, peinture acrylique et feuilles artificielles, 183 × 427 × 61 cm, 2009. **02** *Cracked Canyon*, structure en mousse, papier, peinture, bois, colle et gel, 200 × 192 × 5 cm, 2007. **03** *Rothko Sunset*, structure en mousse, toile, papier, peinture, colle, fil de fer, ruban adhésif, sable et gel, 107 × 81 × 20 cm, 2007. **04** *Pollock's Flying Carpet*, papier, colle, ruban adhésif et peinture, 168 × 173 × 46 cm, 2010. **05** *Unearthed*, bois et techniques mixtes, 91 × 56 × 25 cm, 2008. **06** *Cathedral*, bois, fil de fer pour armature, grillage, Magic Sculp, papier mâché, plastique, toile, colle à bois, gels, fil et sable, 206 × 112 × 61 cm, 2010. **07** *Bierstadt with Holes*, structure en mousse, papier, peinture, bois, colle, gel et plexiglas, 103 × 85 × 7 cm, 2007. **08** *(À gauche) Bierstadt with Holes*; *(à droite) Chest of Drawers (Early American) with Woodpecker*, structure en mousse, papier, peinture, bois, colle, gel et sciure, 236 × 132 × 67 cm, 2007.

Luiz Hermano

01 L'artiste au travail. **02** *Tikal*, condensateurs et fil de fer, 140 × 210 × 20 cm, 2007. **03** *Sadu*, composants électriques et fil de fer, 220 × 75 × 15 cm, 2006. **04** *África*, résine et fil de fer, 150 × 105 cm, 2010. **05** *Aterro Orgânico 3*, résine et fil de fer, 100 × 90 cm, 2010. **06** *Angkor-Wat*, plastique et fil de fer, 180 × 180 cm, 2007. **07** *Clínica*, plastique et fil de fer, 80 × 86 cm, 2009. **08** *Pracinha*, plastique et fil de fer, 105 × 120 × 15 cm, 2007.

Florentijn Hofman

01 *Max*, cageots de pommes de terre, palettes, bois, paille, corde, fil métallique et film étirable, 12 × 8 × 25 m, Leens, Pays-Bas, 2003. **02** *Pig Juggling with Strawberries*, bois, béton, tôle ondulée et peinture, 10 × 10 m, Veghels Buiten, Pays-Bas, 2010. **03** *Lookout Rabbit* (détail), béton, sable, herbe, métal, bois, peinture et revêtement en ciment, 6 × 7 × 12 m, Nijmegen, Pays-Bas, 2011. **04** *Lookout Rabbit*. **05, 06, 07, 08** *Signpost 5*, trois pianos à queue, chacun mesurant 8 × 6 × 5 m, bois et clous, île de Schiermonnikoog, Pays-Bas, 2006. **09, 10, 11** *Fat Monkey*, structure gonflable et tongs, 5 × 4 × 15 m, São Paulo, Brésil, 2010.

Michael Johansson

01 *Cake Lift*, objets trouvés dans la salle de stockage de l'Århus Art Building, 140 × 500 × 80 cm, Århus Art Building, Århus, Danemark, 2009. **02, 03** *Rubiks Kurve*, objets divers, boîtes en métal et mur en bois, 15 × 3,5 m, Svartlamon, Trondheim, Norvège, 2010. **04** *Vi hade i alla fall tur med vädret*, matériaux divers dont caravane, glacières portatives, poches de glace, chaises longues, équipement de camping et bouteilles thermos, 300 × 200 × 200 cm, Bottna Kulturfestival, Gerlesborg, Suède, 2006. **05** *Ghost II*, divers objets blancs, 290 × 290 cm, Arnstedt Östra Karup Gallery, Båstad, Suède, 2009. **06** *27m³*, objets trouvés dans la salle de stockage du Bergen Art Museum, 300 × 300 × 300 cm, Bergen Art Museum, Bergen, Norvège, 2010. **07** *Green Piece*, équipement d'extérieur vert, 60 × 60 × 60 cm, 2009. **08** *Frusna Tillhörigheter*, objets divers dont fauteuil, machine à écrire, livres, boîtes et horloge, 55 × 80 × 55 cm, 2010. **09** *Domestic Kitchen Planning*, tabouret et matériel de cuisine, 40 × 60 × 45 cm, 2010. **10** *Strövtåg i tid och rum*, objets divers dont fauteuil, livres, sacs, boîtes, radio et horloge, 55 × 85 × 60 cm, 2009.

Anouk Kruithof

01 Exposition *Fragmented Entity*, Art Rotterdam, Rotterdam, Pays-Bas, 2011. **02** *Clear Heads*, photographie en couleur sur aluminium, 100 × 70 cm. **03** *Photos from Photos*, impression light-jet et impression light-jet sur aluminium, dimensions diverses. **04** *Everything's Metaphor (Criss Cross)*, impression light-jet sur aluminium, 100 × 70 cm. **05, 06** *Enclosed Content Chatting Away in the Colour Invisibility*, livres colorés récupérés, Künstlerhaus Bethanien, Berlin, Allemagne, 2009.

Jae-Hyo Lee

01 *0121-1110=1091212*, boulons en inox, clous et bois, 65 × 65 × 266 cm, 2009. **02** L'artiste au travail. **03** *0121-1110=110101*, bronze, 240 × 70 × 240 cm, 2010. **04** *0121-1110=106111*, bois, 320 × 100 × 320 cm. **05** *0121-1110=1100810*, bois, 88 × 140 × 80 cm, 2010. **06** *0121-1110=111038*, bois, 120 × 120 × 180 cm, 2011. **07** *0121-1110=110011*, bois (pin d'Oregon), 168 × 56 × 220 cm, 2010. **08** *0121-1110=1080815*, pierre, 95 × 95 × 600 cm, 2008. **09** *0121-1110=105102*, boulons en inox, clous et bois, dimensions diverses.

Luzinterruptus

01, 02, 03 *An Almost Ephemeral Autumn*, feuilles tombées des arbres, fil de fer et LED, 2009. **04** *The Wind Brought Us the Crisis*, LED et quatre-vingts journaux financiers, bourse de Madrid, Madrid, Espagne, 28 avril 2009. Photographie de Gustavo Sanabria. **05** *Literature versus Traffic*, LED et 800 livres récupérés, New York, États-Unis, 2010. Photographie de Gustavo Sanabria. **06, 07, 08, 09** *Floating Presences*, LED, ballons et tissu, festival Rizoma, Molinicos, Espagne, 2010. Photographie de Gustavo Sanabria. **10, 11, 12, 13** *Caged Memories*, 400 cages dorées, souvenirs personnels et LED, Plaza de los Ministriles, Madrid, Espagne, 2010. Photographie de Gustavo Sanabria.

Maria Nepomuceno

01 *Sans titre*, cordes et perles, installée : 4,4 × 1,7 × 12,3 m, 2010. Copyright Maria Nepomuceno. Reproduit avec l'aimable autorisation de la Victoria Miro Gallery, Londres. **02** *Sans titre* (détail), cordes cousues et perles, 120 × 250 × 200 cm, 2008. Copyright Maria Nepomuceno. Reproduit avec l'aimable autorisation de la Victoria Miro Gallery, Londres. **03** *Sans titre* (détail), cordes, perles et tissu, 440 × 360 cm, 2010. Copyright Maria Nepomuceno. Reproduit avec l'aimable autorisation de la Victoria Miro Gallery, Londres. **04** Performance, 2008. **05** *Sans titre*, cordes, perles et tissu, 440 × 360 cm, 2010. Copyright Maria Nepomuceno. Reproduit avec l'aimable autorisation de la Victoria Miro Gallery, Londres. **06** *Sans titre*, paille tressée, cordes et perles, 440 × 400 × 350 cm, 2010. Copyright Maria Nepomuceno. Reproduit avec l'aimable autorisation de la Victoria Miro Gallery, Londres. **07** *Sans titre*, cordes cousues et céramique, 140 × 100 × 70 cm, 2008. Copyright Maria Nepomuceno. Reproduit avec l'aimable autorisation de la Victoria Miro Gallery, Londres. **08** *Sans titre*, cordes cousues et perles, 120 × 250 × 200 cm, 2008. Copyright Maria Nepomuceno. Reproduit avec l'aimable autorisation de la Victoria Miro Gallery, Londres.

Henrique Oliveira

01 L'artiste à l'œuvre sur la sculpture *Coisa*, bois, PVC, gaze, ciment, cire d'abeille et polyuréthane, 2008. **02, 03, 04** *The Origin of the Third World* (création en cours), bois, PVC et métal, Biennale de São Paulo, São Paulo, Brésil, 2010. **05** *Tapumes* – Casa dos Leões, bois et PVC, installation, 7ᵉ Biennale de Mercosul, Porto Alegre, Brésil, 2009. Photographie d'Eduardo Ortega. **06** *Sans titre*, bois et PVC, 3,5 × 12 × 1,5 m, Centro Cultural São Paulo, São Paulo, Brésil, 2006. **07** *Paralela*, bois et PVC, 3,7 × 14 × 1,8 m, São Paulo, Brésil, 2006. Photographie de Mauro Restiffe. **08** *Tapumes*, bois, 4 × 18,4 × 1,2 m, Fiat Mostra Brasil, São Paulo, Brésil, 2006. Photographie de Mauro Restiffe. **09** *Tapumes* (détail). Photographie de Mauro Restiffe. **10** *Tríptico*, bois et PVC, 270 × 550 × 75 cm, 2008. **11** *Sans titre*, bois, 200 × 300 × 65 cm, 2009. **12** *Túnel* (entrée), bois, PVC et cire d'abeille, 2 × 30 × 3 m, Instituto Itaú Cultural, São Paulo, Brésil, 2007. **13, 14** *Túnel* (vision de l'intérieur). **15** *Túnel* (sortie).

Erik Otto

01 *Collective Force* (bleu), peinture de bâtiment, peinture en spray, sérigraphie et crayon sur panneau avec ampoule, 2010. **02** *Dreamcatcher Phase I*, peinture de bâtiment, peinture en spray, bois de récupération, vitre et flèches, 2010. **03** *L'artiste avec ses matériaux*. **04** *Road of Prosperity*, bois recyclé, peinture de bâtiment, peinture en spray et ligne de pêche, 2010. **05** L'atelier de l'artiste, bois recyclé et peinture de bâtiment, 2010. **06** *Slow Journey (Phase I)*, peinture de bâtiment, peinture en spray, bois de récupération, roues pivotantes, corde et tricycle trouvé, 2010. **07** *Immunity*, peinture de bâtiment, peinture en spray, sérigraphie et crayon sur neuf panneaux, 2010. **08** *Moment of Victory*, peinture de bâtiment, peinture en spray et crayon sur morceau de bois, 2009. **09** *Silence Speaks Volumes* (détail), peinture de bâtiment, peinture en spray, bois récupéré et ficelle, 150 × 300 cm, 2009. **10** *Centripetal Force*, peinture de bâtiment, peinture en spray et crayon sur quatre panneaux, 2010. **11** *Collective Force* (rouge), peinture de bâtiment, peinture en spray, sérigraphie et crayon sur panneau avec ampoule, 91 × 91 cm, 2010.

Mia Pearlman

01 L'artiste au travail à l'Islip Art Museum, Long Island, États-Unis. Photographie de Gene Bahng. **02** L'artiste au travail dans son atelier. Photographie de Catrina Genovese. **03, 04, 05** *Penumbra*, papier, encre de Chine, trombones et punaises, dimensions diverses, Plaats Maken, Arnhem, Pays-Bas, 2010. Photographies de Mia Pearlman. **06, 07** *Maelstrom*, acier, aluminium, papier, encre de Chine, monofilament et fil de fer, 370 cm de diamètre × 340 cm, Smack Mellon, Brooklyn, États-Unis, 2008. Photographies de Jason Mandella. **08** Islip Art Museum, Long Island, États-Unis. Photographie de Gene Bahng. **09** *Gyre*, papier, encre de Chine, punaises et trombones, 210 × 340 × 400 cm, Islip Art Museum, Long Island, États-Unis, 2008. Photographie de Gene Bahng. **10** *Influx* (détail), papier, encre de Chine, punaises et trombones, dimensions diverses, Roebling Hall Gallery, New York, États-Unis, 2008. Photographie de Jason Mandella.

Lionel Sabatté

01 *Février* et *Septembre*, loups constitués de poussière prélevée dans le métro parisien, 136 × 50 × 70 cm, 2006. Reproduit avec l'aimable autorisation de la galerie Patricia Dorfmann, Paris. **02** *Février, Août* et *Septembre*, loups constitués de poussière prélevée dans le métro parisien, 136 × 50 × 70 cm, 2006. Reproduit avec l'aimable autorisation de la galerie Patricia Dorfmann, Paris. **03** *Août*. **04** *Étude à la poussière II*, graphite et poussière sur papier, 21 × 29,7 cm, 2010. Reproduit avec l'aimable autorisation de la galerie Patricia Dorfmann, Paris. **05** *Étude à la poussière IV*, graphite et poussière sur papier, 21 × 29,7 cm, 2010. Reproduit avec l'aimable autorisation de la galerie Patricia Dorfmann, Paris. **06** *Hells Angels n° 1*, en collaboration avec Baptiste Debombourg, pigeon empaillé et plumes artificielles, 50 × 60 cm, 2009. Reproduit avec l'aimable autorisation de la galerie Patricia Dorfmann, Paris. **07** *Hells Angels n° 1* (détail). Reproduit avec l'aimable autorisation de la galerie Patricia Dorfmann, Paris.

Chris Silva

01 *No Snowflake in an Avalanche Ever Feels Responsible*, Walker's Point Center for the Arts, Milwaukee, États-Unis, 2006. **02** Matériaux en atelier. **03** Une création en cours. **04** *Projections & Delusions* (création en cours), 2006. **05** *Projections & Delusions*, 2006. **06** *Open Hearts Urgery*, en collaboration avec Lauren Feece, The Group Group Show, Version Kunsthalle, Chicago, États-Unis, 2006. **07** *Se Cambian Qué?*, bois de récupération, peinture laquée et plastique, 2005. **08** *This One Will Hold You in Her Arms, These in Their Mouths*, en collaboration avec Lauren Feece, matériaux de récupération, Aguadilla, Porto Rico, juin 2009. **09** *Rubber Swords, Lovers & Fighters*, assemblage et peinture, exposition avec Lauren Feece, Philadelphie, États-Unis, 2010. **10** *This One Will Hold You in Her Arms, These in Their Mouths.* **11** *Rubber Swords, Lovers & Fighters.*

Lucas Simões

01 *Estudo para 'tua paisagem'*, impression laser, 7 × 40 cm, 2010. **02** *Self-portrait*, collage numérique, 20 × 15 cm, 2010. **03** *Estudo para 'tua paisagem'*, impression laser, 7 × 40 cm, 2010. **04, 05** *Requiem*, dix photographies en couleur découpées, série *Unportraits*, 30 × 40 cm, 2010. **06** *Étude pour Unmemory*, dix photographies en couleur découpées, 30 × 40 cm, 2010. **07** *Étude pour Unmemory*, dix tirages laser découpés, 30 × 40 cm, 2010. **08** *Étude pour Unmemory*, dix photographies en couleur découpées et impression laser, 30 × 40 cm, 2010. **09** *Étude pour Unmemory*, dix photographies en couleur découpées, 30 ×40 cm, 2010. **10** *Adios*, cendres de photographies brûlées sur un portrait à l'intérieur d'une boîte, 15 × 6 cm, 2010. **11** *Estudo para 'tua paisagem'*, impression laser, 7 × 40 cm, 2010. **12** *Quasi-cinema*, photographies cousues sur tissu et bois, 10 × 148 cm, 2010. **13** *Quasi-cinema (Zoologischer Garten)*, photographies cousues sur tissu et bois, 20 × 308 cm, 2010. **14** Vue de trois créations de la série *Quasi-cinema*, photographies cousues sur tissu et bois, dimensions diverses, 2010.

Yuken Teruya

01 *Rain Forest* (détail), treize rouleaux de papier hygiénique, aimants et chaînes, dimensions diverses, 2006. **02** *Corner Forest*, rouleaux de papier hygiénique, 2008. **03** *Corner Forest* (détail). **04** *Notice – Forest*, sac en papier de McDonald's, 2010. **05** *Notice – Forest*, sac en papier de Burger King, 2008. **06** *Notice – Forest*, sac en papier de Paul Smith, 2007. **07** *Notice – Forest*, sac en papier de Burger King (vue du dessus), 2008. **08, 09** *Green Economy*, billets de banque internationaux, commandé par le *New York Times Magazine*, 2010. Photographies de Yoshikazu Nema.

Luis Valdés

01, 02, 03, 04 *Economy of Resources*, carton, peinture et adhésif, 300 × 230 × 600 cm, 2009. **05, 06** *Don Lucho's Stand*, carton, peinture et adhésif, 250 × 150 × 60 cm, 2010. Photographies de Martin La Roche.

Felipe Yung

01, 02 Arbre typique du Brésil, photographies de référence. Photographies de Felipe Yung. **03** *Pau Malandro* (détail), peinture sur cabane en bois, Barra da Lagoa, Florianópolis, Brésil, 2009. **04** *Entranhas* (détail), peinture sur bois trouvé, 2010. **05** *Gotas de Buda*, peinture acrylique sur bois trouvé, 99 × 36 cm, 2010. **06** *Poda Forçada*, peinture acrylique sur bois trouvé, 99 × 36 cm, 2010. **07** *Graviola in Praia Seca*, peinture acrylique sur cabane en bois, Praia Seca, Rio de Janeiro, Brésil, 2008.

Carlos Zúñiga

01 *Pablo Serra* (détail de l'œil), peinture acrylique sur annuaire téléphonique, 103 × 135 cm, série *Beginning of the Aura*, 2010. **02** *San Carlos* (détail des oiseaux), encre sur annuaire téléphonique argentin, 138 × 181 cm, série *Imperial Poem*, 2010. **03** L'artiste au travail. **04** *Dia 5*, encre sur annuaire téléphonique, 224 × 134 cm, série *Detained in Apnea*, 2007. **05** *Dia 4*, encre sur annuaire téléphonique, 142 × 217 cm, série *Detained in Apnea*, 2007. **06** *Stone Runs Cat*, encre sur annuaire téléphonique argentin, 138 × 181 cm, série *Imperial Poem*, 2010. **07** *Portrait 5*, encre sur annuaire téléphonique argentin, 110 × 82 cm, série *Imperial Poem*, 2010. **08** *Portrait 12*, encre sur annuaire téléphonique argentin, 110 × 82 cm, série *Imperial Poem*, 2010. **09** *Portrait 7*, encre sur annuaire téléphonique argentin, 110 × 82 cm, série *Imperial Poem*, 2010. **10** *Portrait 6*, encre sur annuaire téléphonique argentin, 110 ×82 cm, série *Imperial Poem*, 2010. **11** *Milena Gröpper*, peinture acrylique sur annuaire téléphonique, 103 × 135 cm, série *Beginning of the Aura*, 2010. **12** *Kristian Jones*, peinture acrylique sur annuaire téléphonique, 103 × 135 cm, série *Beginning of the Aura*, 2010. **13** *Daniela Kovacic*, peinture acrylique sur annuaire téléphonique, 103 × 135 cm, série *Beginning of the Aura*, 2010.

Sources des citations

p. 78
La citation commençant par « Dans un bar, on entend des ragots… » est tirée d'un entretien de l'artiste avec Michal Novotny, un activiste artistique et journaliste établi à Prague. L'entretien a été enregistré à Paris dans le cadre d'un projet d'exposition à venir, en collaboration avec l'Institut français de Prague, en 2011.

p. 148
« Les gens semblent vraiment réagir à l'agression… » est tiré de « Nature's Methodic and Unpredictable Fury » (« La fureur méthodique et imprévisible de la nature »), publié dans le magazine *Flaunt*. Matthew Bedard a mené l'entretien avec l'artiste.

p. 172
« À mes yeux, une photographie est rarement le résultat final… » provient de Artslant.com.

Sites Web

Felipe Barbosa : felipebarbosa.com
Andrés Basurto : antenaestudio.com
Zadok Ben-David : zadokbendavid.com
Robert Bradford : robertbradford.co.uk
Peter Callesen : petercallesen.com
Monica Canilao : monicacanilao.com
Klaus Dauven : klaus-dauven.de
Gabriel Dawe : gabrieldawe.com
Baptiste Debombourg : baptistedebombourg.com
Brian Dettmer : briandettmer.com
Elfo : elfostreetart.blogspot.com
Ron van der Ende : ronvanderende.nl
Faile : faile.net
Rosemarie Fiore : rosemariefiore.com
AJ Fosik : ajfosik.com
Fumakaka : fumakaka.com
Sayaka Kajita Ganz : sayakaganz.com
José Enrique Porras Gómez : olaganandoespacio.wordpress.com
Hiroyuki Hamada : hiroyukihamada.com
Haroshi : haroshi.com
Valerie Hegarty : valeriehegarty.com
Luiz Hermano : luizhermano.com
Florentijn Hofman : florentijnhofman.nl
Michael Johansson : michaeljohansson.com
Anouk Kruithof : anoukkruithof.nl
Jae-Hyo Lee : leeart.name
Luzinterruptus : luzinterruptus.com
Maria Nepomuceno : victoria-miro.com
Henrique Oliveira : henriqueoliveira.com
Erik Otto : erikotto.com
Mia Pearlman : miapearlman.com
Lionel Sabatté : lionelsabatte.com
Chris Silva : chrissilva.com
Lucas Simões : flickr.com/people/lucsa
Yuken Teruya : yukenteruyastudio.com
Luis Valdés : flickr.com/photos/33879103@N04
Felipe Yung : flipink.blogspot.com
Carlos Zúñiga : carloszuniga.org

Remerciements

Un grand merci à Olivia Manco pour son inspiration, à Carla Haag pour les traductions et à Jean Manco pour son aide. Merci à tous les artistes qui ont collaboré à cet ouvrage pour leurs explications approfondies sur leurs travaux.

Je tiens à remercier les photographes Gene Bahng, Nash Baker, Rana Begum, Anders Sune Berg, Heath Cooper, Murray Fredericks, E.G., Catrina Genovese, Stefan Hagen, Avi Hai, Barnaby Hindle, Martin La Roche, Jason Mandella, Yoshikazu Nema, Gene Ogami, Eduardo Ortega, Adam Reich, Mauro Restiffe, Gustavo Sanabria, Tod Seelie et Russel Wong pour leur précieux concours.

Je remercie également les galeries suivantes pour leur excellente contribution : la galerie Patricia Dorfmann, Hada Contemporary, Nicelle Beauchene, Priska C. Juschka Fine Art, la Sara Meltzer Gallery et la Victoria Miro Gallery.

En particulier, je remercie William Baglione, Nicelle Beauchene, Patricia Dorfmann, Ai Hayatsu, Mathilda Holmqvist, Pippy Houldsworth, Emily Johnsen, Priska C. Juschka, Akinori Kojima, Sara Meltzer, Victoria Miro, Anna Mustonen, Aaron Simonton, Kathy Stephenson et Tom Woo pour leur précieuse assistance.

L'installation *Ola ganando espacio* de José Enrique Porras Gómez a pu voir le jour grâce au soutien de la Fundación Colección Jumex.

Crédits

Matériaux + Art = Œuvre
est édité par Pyramyd NTCV
www.pyramyd-editions.com

© Thames & Hudson 2012

Texte français : © Pyramyd NTCV, 2012

Édition française : Céline Remechido, Christelle Doyelle
Traduction : Claire Reach
Correction : Isabelle Pelletier

ISBN : 978-2-35017-271-2
Dépôt légal : 1er semestre 2012
2e réimpression : 2e trimestre 2014
Imprimé en Chine